Heibonsha Library

[増補]近代の呪い

平凡社ライブラリー

Heibonsha Library

［増補］

近代の呪い

渡辺京二

平凡社

本著作は二〇一三年に刊行された平凡社新書『近代の呪い』の増補版です。

目次

第一話　近代と国民国家

——自立的民衆世界が消えた

近代の時代区分

今日の話に『近代について』という題目をたまわりましたのは、今日の集まりの企画者である岩岡中正先生の、なるべく自由に話せるように、間口を広くとっておこうというご配慮であろうかと思います。私が特定の専門領域を深く掘り下げるアカデミズムの学者でないことも、念頭に置かれたのかもしれません。もちろん、近代について包括的な考察を行うようなことは、私にできるはずもないし、また期待されてもいないでしょう。当然その一面について、私の関心のあるところをお話しすることになります。

最初に近代という時代区分について申しあげておきましょう。昔は近代といえば、政治的にはフランス革命以後、経済的には産業革命以後というふうに、とくにわが国では考えられていたようです。つまり資本主義社会の成立をもって近代と考えたわけですが、今日ではブローデルやウォーラースティンの影響で、資本主義の成立を一六世紀に求めるのが学界の主流になりました。もちろん、その場合の資本主義とは機械制大工場にもとづくものではありません。ウォーラースティンは資本主義は農業資本主義として始まったと言っている。つまり、煙草や砂糖を栽培するプランテーション農業が、奴隷制と結びつくことによって環大西洋経済が成立する。これが最初の世界経済の成立であり、資本主義の成立だというのです。

その辺のところは深入りしませんけれども、これは従来精神史・文化史の面から主張されて来た近代のとらえかた、すなわちルネサンスと宗教改革をもって近代の起点とするとらえかたとも一致する。従来は経済史のいう近代と精神史のいう近代にずれがあったのだけれど、いまや一致してきたということですね。

日本の場合を考えると、一六世紀以降は近世、明治維新以後を近代として区分する。これは徳川時代をいくら何でも近代とはしにくいと思ったからでしょうが、西洋では近世・近代なんて区別はない。だって、両方とも英語でいうとモダンですからね。もっとも西洋でも、アーリィ・モダンという呼びかたが最近よく使われる。これは日本語でいうと初期近代だけれど、近世と訳しても内容的にはぴったり来ます。そうすると近代・近世と区分する日本の歴史学者の慣習も、案外捨てたものじゃない。

一六世紀以降を近代ととらえるといっても、一八世紀末から一九世紀初頭の政治面経済面の大変動はやはり重大な画期をなすもので、一六世紀以降を近代ととらえながら、やはりそのうちにふたつの段階を設定したほうがよい。つまり、アーリィ・モダンとモダン・プロパーの区分でありますが、両者はそのなかに生きる人間のありかたがよほど違うところがあります。両者を一貫してとらえることと、その違いをつかむことの両方が必要なのでしょう。

日本の史学界で徳川時代を近世と呼んだのは、あれは封建制社会であってとても近代というわけにはいかないという考えがあったからでしょう。しかし、徳川期の学者が自分の時代を封建の世と考えたのは、中国古代における郡県制・封建制の概念にもとづいたもので、近代史学でいう社会構成体としての封建制という概念とは何の関係もないのです。つまり統治の方式として、帝王が官吏を地方に派遣して統治するのが郡県制、帝王が一族・重臣に土地・人民を分与して統治させるのが封建制です。前者は中央集権、後者は地方分権であって、そう呼んだ方が本質がはっきりする。徳川期を社会構成体としての封建制と呼ぶのはまったく誤っております。徳川期は説明は省きますがアーリィ・モダンと呼んでよろしく、その意味で世界史の流れの外にあるものではないのです。

「国民」の誕生――中国人留学生が見た日本

以上は前置きでありますが、今日の私の話は、先に申しました一八世紀末から一九世紀初頭に始まる近代プロパーの本質的な特徴とは何かということについて考えてみたいのです。まず、三つのテクストを皆さんに示して、どうお考えになりますかと問いかけることで始めたい。最初は、秋瑾(しゅうきん)という中国の女性の日本留学生が書いた文章です。当時は中国人留学生は一万人を超えていたといわれます。中国の近代化のためにはヨーロッパの文明を学ばねばならない。しかし、欧州まで行く金はないので、幸い欧州の文物の移植に成功した日本へ行ってそれを学ぼうというわけです。ときはちょうど日露戦争でありますから、秋瑾さんは横浜で日本人兵士が出征する風景を見た。そして大変感激してこう書いているのです。

「日本人はかように心をあわせ、軍人をこんなに貴んでいます。だから彼は戦に生命を投げうたずにいられましょうか。だから、みな死を恐れぬ心をもつようになり、自分たちがもし勝てなかったら、国に帰って人々にあわせる顔がないと思っています。人々がみなこのような考えをもっているので、戦のたびに生命を投げうち、砲火をさけず、前が死ねば後がさらにすすんでいくのです。今日ロシアという大国が小さな三つの島国の日本にこのように敗れたのも、大部分はこのためです」。

彼女はそれに反して兵士が奴隷のように蔑視されている清の現状にふれ、「中国では現在、これらの兵士は何の教育もうけていないからこうなるのです。我々中国人が教育をうけていないことによる損害は、千言万語を尽くしても語りきれません」とも書いています。

どうですか。今日の私たちはとても複雑な気持になりますね。えらいところを賞められたなと、苦笑いする方もありましょう。お国のために一命を捧げる、『教育勅語』はこれを

「一旦緩急あれば義勇公に奉じ」と言っておりますが、そういう国家主義的思想を、戦後の私たちは蛇蝎のように嫌って来たのではないでしょうか。「前が死ねば後がさらにすすんでいく」というのは、旅順包囲戦を思い出させます。ペトンで固めた要塞から打ち出す機関銃の前に、決死の白襷隊が次々と斃れ、その屍をさらに乗り越えてゆく旅順戦の光景が目に浮かびます。そして戦後の私たちは、戦場の弟に死ぬなと呼びかけ、「旅順の城はほろぶとも、ほろびずとても、何事ぞ」と歌った与謝野晶子を賞揚してきたのではないでしょうか。それなのに秋瑾さんは愛国的日本兵を讃美する。戦後日本人は中国ナショナリズムを代表する秋瑾さんには頭が上がらないのですから、甚だ困ってしまうわけです。

　秋瑾は郷里の紹興に帰って、一九〇六年に清朝に対して反乱を組織し、捕えられて殺されます。武田泰淳に『秋風秋雨人を愁殺す』という小説がありますから、ご覧になった方もありましょう。すなわち彼女は滅満興漢の旗印を掲げた革命家なのです。中国革命はのちにマルクス主義を採用しますけれども、にもかかわらず徹頭徹尾ナショナリスト革命です。革命的ナショナリストたる秋瑾の眼に、日本兵の滅私奉公ぶりが羨しいものに見えたことの意味するものは重大です。天皇のためであれ、あるいは人民のためであれ、自分は国家の運命と切り離せない存在なのだという自覚が、ここに成立しているのです。この成立はけっして自然なものではありません。秋瑾は教育の結果だと言っているではありませんか。日露戦争時の日本人がしぶしぶであれ、あるいはよろこんでであれ「義勇公に奉じ」たのは、維新以来すでに四〇年近く教育されてきたからであります。

民衆への憂い

では、教育以前の日本人はどうだったのでしょうか。四国艦隊が長州藩を攻めた馬関戦争のとき、長州の民衆は外国軍の弾運びをしたというのはよく聞く話です。彼らに、おまえたちのやっているのは売国の所業だなんて言って聞かせたら、きょとんとしたでしょうね。戊辰戦争で会津攻めに従軍した板垣退助が、会津領民が藩公の危難をよそにして、会津藩が滅びようと滅びまいと、関わりはござんせんという顔をしている様を見て、非常にショックを受けたというのは、『自由党史』に出ていて有名な話です。

福沢諭吉が憂えたのも民衆のこういう状態だったのですね。彼は彼らに知識がないからこうなるのだと考えました。無知の罪だというのです。だから処方箋は教育あるいは言論ということになる。福沢はむろん、専制に抵抗して国民に権利を与えるという視点からもこう考えたのでしょうが、当時の万国対峙の状況、喰うか喰われるかという帝国主義状況からしても、民衆に国民の自覚がない、つまり国民になっていないというのは、大変憂慮すべき事態に思えたに違いありません。

そういう危惧を通俗に表現した文章があります。東大の加藤陽子さんによれば、明治一七年のある雑誌にのっているとのことです。読んでみましょう。

「わが三千七百万の同胞兄弟は、やれ徴兵煙草税と、内々苦情を鳴らす頑固親父殿は少からぬも、外国との関係はどうなっているか、白川夜船の高いびき……これこそ無気力の奴隷根性、……ああ、かようなる腰抜人足は、たとい日本が赤髭の属国になっても、同じくへイへイ、ハイハイと頭を下げるに相違なく」云々。

これはいわゆる国権論的な立場からの批判ですが、民衆に国民としての自覚と知識が乏しいという批判は、民権論の立場からもありえたはずです。こういう批判が稔って、日本人は中国人革命家によって賞賛されるような自覚ある国民になりおおせたわけです。

こう申しますと、自覚ある国民というのはおかしい、ただ天皇の臣民になっただけじゃないかと言いたい人が必ず出てくると思います。つまりそういう人の頭の中では、進歩的なナショナリズムと反動的なナショナリズムが区別されていて、前者の場合は正しい国民の自覚だが、後者の場合は権力のイデオロギー操作による虚偽意識だということになるのです。しかし、二〇世紀の歴史がすでに過去のものとなり、進歩的ナショナリズムなるものの正体も、それがもたらした結果も見通されてしまった今日、そういった博物館行きの区分概念にとらわれる必要はまったくありません。私が秋瑾という民族主義革命家が、日露戦争においてお国のために死んでゆく日本兵を賞賛した事実をまず述べましたのは、天皇制国家のために死ぬのは誤った愛国だが、民主主義国家や社会主義国家のために死ぬのは正しい愛国だというような区別がナンセンスだということに気づいてもらうためでした。第一、日露戦争で死んだ日本兵はけっして天皇のために死んだのではないし、当時の日本国家を太平洋戦争時のような極端な天皇崇拝で塗りつぶすのも、まったく誤ったとらえかたであります。

秋瑾の賞賛は深いアイロニーを含んでおります。秋瑾は若くして殺されましたが、生き残ったら必ずや孫文流の三民主義者であったろうし、さらには中国共産党の創立に加わるということも絶対なかったとはいえません。つまり、国民のうち先んじてリーダーとなりエリートとなった者たちには、立場が右であれ左であれ、国家主義であれ民主主義であれ社会主義であれ、必ず民衆が、自分の生活にばかりかまけて国家あるいは社会の大事に気づこうとしない能天気野郎のように見えるのです。そのような民衆を教育し、その尻を叩いて、国家の運命に目ざめさせ、国民としての責任、義務を遂行するように改造せねばならぬというのが、彼らの強烈な強迫観念(オブセッション)になるのです。

幕末期の民衆意識

では、国家の経営者たる彼らから、無知で低級で、教育しないかぎりどうにもならぬものと見なされた民衆が、幕末当時どういった生活意識を抱いていたか、その一例を紹介しましょう。

長谷川伸という小説家がおります。『瞼の母』とか『一本刀土俵入』といった芝居の作家といっても、今の若い人はご存じないでしょう。今あげた二作は新派の舞台にかかって、大変大衆的な人気のあった作家であります。彼に『足尾九兵衛の懺悔』という作品があります。敗戦の翌年からその翌年にかけて書かれた作品で、内容から言って聞き書にもとづいたものと思われます。

主人公の足尾九兵衛は京都の古い商家に生まれたのですが、一家は没落して散りぢりになり、身を持ち崩して、とうとう博徒として一生を送った人です。だから、「懺悔」なわけですが、この人の子どもがのちに歌舞伎の名優市川中車になりました。もちろんフィクションも交っていることでしょうが、実話がもとになっているだけに、当時の庶民の生活実態が非常にリアルに描かれています。その中から、四ヵ所ほど読みあげてみましょう。

「その年は安政六年で、横浜というところが世界に向けて開港場になると聞いたが、わたし等は、はアさよかと聞流しです、開港場が何やら、何でそうなるのやら、気にとめんといます。大阪から京へ舞い戻ったのが前の年、安政五年です、その年にとうまる籠騒動というものが京にあったそうな。後々にはとうまる籠騒動いうても、それや何のことやというようになり、安政の大獄といわぬとわからぬ。長州の吉田松陰、越前の橋本左内なんぞいう、幕末のえらい人が死刑にかけられた、あれをとうまる籠騒動というたものです。その話が翌年になっても出んではない、目明しの文吉が、鷹司家の小林諸大夫・青木民部を捕縛せいといわれ、文コは内心弱った、幕府の命令ゆえ、やらんならんと決心して、小林諸大夫の召捕りにかかったなれど、もともと鷹司家は五摂家いうて、不浄役人の手入れが出来ぬ、手続きをしてからなれば町奉行の手入れが出来るが、それとて左様の者はおらんといわれれば躍り込んで家探しという訳にゆかん。そこで文コが考えて、丸太町の鷹司家の地尻（ちじり）の裏屋を借り、子分ともども見張っていると、夜、小林諸大夫（良典）がそッと気晴らしの散歩に出た、待っていましたと、文コが丸太町の往来で組付くねじ伏せる、縛りあげた。そのような話なら面白がって聞くが、それが天下国家とどう関係するかとなると、皆目（かいもく）訳がわからぬわたし達でしたから、とうまる籠騒動だとてむちゃくちゃな暴政だか何だか一向に知りません。つまるところ、一廉(ひとかど)の男やいうて強がったりえらがったりしていたものの、葭(よし)のずいから天井のぞくで、自分達に日本という国があって、ようなって行くらしいのやら悪うなっているのやら、皆目知らんのです」。

「その年の四月ごろ、伏見の寺田屋で薩州さん方が斬合いをやったと聞いた、後の寺田屋騒動というて有名ですが、そのときは、さほどに思いませなんだ。尤もわたし等とくると、前の年の節句の日、井伊掃部頭が桜田門で雪の中でやられたと聞いても、今年の正月これも江戸の坂下門で老中の安藤対馬守がやられたと聞いても、ちょッとも騒がぬ手合いです、わが国がどうなるか、心をつこうたことがない、早くいえば月給さえ貰えたら、国がどうなるか考えぬというような者と似たヤツです」。

「河原町の油屋という家の二階で、浪士が二人暗殺されたと、噂を、その朝すぐ聞きましたが、それが坂本竜馬と中岡慎太郎だということを、聞いたやら聞かぬやら、聞いたにしろ、ほウそうかと言うぐらいのもの、どういう人物で、どういう事件やらわたし共は知りません、知ろうとする気がないから、よくそれまでにもあった勤王佐幕の喧嘩だと思っただけでした。そのこともですが、朝廷から万機御一新の御達しが京都市中に出たのも、わたしが草鞋を穿く前のことで、後になってみると、日本の国の様子ががらりと変る間際になっていたのだが、自分の鼻の頭の蠅を払うことしか知らない者には、大きく世の中が変る矢先が一向に苦になりません」。

「こんな風で二十七の半ばから二十九まで、というと慶応元年から慶応三年、つまり明治元年の前までですが、格別これという騒動も起さず、入牢もせず、どうやら月日を送りました。この間に、いろいろ世間の動きは大きかった。米騒動があったり、長州攻めの徳川様の兵が敗けたとか、先年上洛した十四代の公方様（家茂）が大阪で亡くなって、十五代の公方様（慶喜）ができたとか、孝明天皇様がおなくなりになり、明治天皇様が御践祚（ごせんそ）になる、天から神符が降ったとて市中の者がえらいやッちゃえらいやッちゃと踊り騒ぐとか、さまざまなことがある間に、あちらこちらで暗殺がある、斬りあいがある、けさも往来に血溜りができていた、橋の上に血のついた草履があった、鴨川の河原に刀の鞘が三本も棄ててあった、こんな話が三日にあげずでした。そうした世にいてわたしどもは、指の先を綺麗にして、口の贅沢をどうやらさせて、賽の目を争いこそすれ、佐幕と勤王の啀（いが）みあいのどっちがいいやら知ろうともせず、異人さんが日本へ渡ってきていると聞いても、珍しいと思うだけで何という気も起らず、相変わらず仲間同士で顔が立つ立たないと、それだけを大切がっていました」。

九兵衛の述懐を読みますと、なるほど、こんな自覚のない連中が国民じゃどうしようもないなという気がしないでもありません。福沢諭吉などがやきもきしたのも無理からぬところです。しかしこのような、一国の政治や言論の指導者からすれば慨嘆にたえぬ民衆の状態も、視点を変えればまったく違うものに見えてくるのではないでしょうか。足尾九兵衛が一生の回顧を「懺悔」と題したのも、喧嘩・入獄など無頼な生きかたのみならず、国家的大事にまったく無関心だったことを恥じてのことのように思えます。しかし、ああ何度も繰返して無関心ぶりを告白しているところを見ますと、それは何だか自慢のようにも聞こえてこないでしょうか。

石牟礼道子さんの『西南役伝説』を読みますと、肥後の農・漁民はあの明治一〇年戦争を、まったくの天災のようにやりすごしたことがわかります。彼らの眼からすると、天朝さんと西郷さんが何で喧嘩しているのかわからないし、またそんなことにはまったく関心がありません。だから故老の思い出話はまるで民話調です。自分たちとはまったく縁のない、天下国家のことを論じる人たちがやっている戦争で、ああ恐わと首をすくめるか、笑い話の種にして興じるだけです。妄霊嶽という険阻な山の中で戦闘があって、転落して死んだ者が多かったというので、「あぎゃんとつけもなかところで戦さのなんの始むるちゅう法があるか」と笑うのです。つまり天下国家を論じる上の方の人たちの、生活現場に関する無知を笑い話にするのです。

つまりここにあるのは、自分たちの生活領域こそ信ずべき実体であり、その上に聳え立つ上部構造は自分たちの実質的な幸福と何の関係もないとする、下積みの民衆の信念であって、上級権力が自分たちの生活領域に関わって来ますと、それこそ百姓一揆だって国訴だって起こしますが、そうでない限り、上の人たちがやっている事は自分たちと関係がないとして、徹底的に無視するのです。これは民衆世界が上級権力によって左右されない自立性を持っているということです。つまり、お上から口出しされないでも、ちゃんと自分たちで成り立たせている世界が確固として存在するのです。むろんお上はいろいろ口出ししますし世話を焼きますが、そんなものは頭を下げていれば、みんな頭上を素通りしてしまうのです。足尾九兵衛が懺悔する国家への無関心とは、実はこのような民衆世界の自立性を語っていたのです。

近代の成立要件1——自立的民衆世界の解体

では、近代とは何でありましょうか。このような民衆世界の国家と関わりない自立性を撃滅したのが近代だったのであります。ただし近代といっても、アーリイ・モダン段階まではヨーロッパにおいても、このような自立した民衆世界は存在していたのでありますから、一八世紀末以降のモダン・プロパーのことになります。モダン・プロパーの成立は実体的にいえば国民国家の創出であります。ヨーロッパにおいては、これがフランス革命でありまして、その意義はブルジョワ支配の確立なんてところにあるのではなくて、国民国家の創出にこそその第一の意義が認められねばならない。フランス革命が創造したのはナショナル・ガード、つまり国民兵であります。お国のことなんて知らねえよと言っていた民衆が、よろこんでお国のために死ぬことになった。これは画期的なことでありまして、フランス革命のキー・ポイントは民衆世界の自立性を解体するところにあったのです。

国民国家の創成には、絶対主義国家という前史があります。しかし、この絶対主義国家というものはもちろん国家の統合・中央集権を強化しましたけれども、国民を直接把握したわけではないのです。国民と王権の間には様々の中間団体がありまして、絶対主義王権はそれを解体することはしなかった。この中間団体を解体したのがフランス革命であります。中間団体が解体されるということは、民衆の自立性が侵食されてゆくということです。

戦争という点をみても、この時代の戦争は国民全体を巻きこむものではなかった。だから、イギリスとフランスが戦争をしているのに、イギリス人が自由にフランス国内を旅行するということが可能だったのです。国民と国民が全体的に戦争によって対立するというのはナポレオン戦争が生みだした新事態であって、それがすなわち国民国家の創出ということであったのです。

国民国家の創成については、世界経済の成立という点も併せて考えてみる必要がありましょう。先に述べましたように、世界経済は環大西洋経済として出現したのでありますが、この環大西洋経済圏のヘゲモニーを握るためには、民衆を国民として統合する強力な国家が必要でありました。もちろん、インドから日本に至るアジア経済、具体的にいえばインド洋貿易圏と南シナ海貿易圏のヘゲモニーを握る争いも重要でありました。そういった世界経済におけるヘゲモニーは、スペイン、オランダ、英国という順に推移してゆくわけでありますが、結局は強力な国民国家を創出できた者がヘゲモニーの保持者となります。

幕末において、日本の先覚者といわれる連中が直面したのは、こういったインターステイトシステム、つまり世界経済の中で占める地位を国民国家単位で争うシステムであります。それを彼らは万国対峙の状況と呼んだのです。このシステムは、ぼやぼやしている連中は舞台の隅に蹴りやって冷飯を喰わせるシステムでありますから、幕末の先覚者たちが、天下国家のことには我関せず焉（えん）という民衆の状態にやきもきしたのは当然です。ぼやぼやしていたら、冷飯どころか植民地にされてしまうかもしれないのです。

市民社会の陥穽

英国のピューリタン革命・名誉革命にしろ、フランス革命にしろ、それが創出したのは市民社会だとよくいわれます。革命によって、自分の権利にめざめ国政にも関与しようとする市民が生まれ、制度的にはそれが議会制民主主義の担い手になったというわけです。戦後論壇のオピニオンリーダーで、市民社会という言葉を呪文のように理想化しなかった人はほとんどいません。

しかし、市民社会が成立し、市民が国政に関与する権利と自覚を得たというのは、それがひとつの国民国家内の出来事である以上、インターステイトシステム内のプレイヤーとして必要な国家統合を強化する一側面であることを免れません。いや、市民社会というのは国家権力に抵抗するのだといってみても、それはひとつの国家内だけでの話で、いったんインターステイトシステム、すなわち国際社会に登場すると、市民社会はシステム内の利己的プレイヤーたる国民国家と一体化せざるをえない。万国対峙の状況下では、市民社会はむしろ国民国家的統合を強化する役割を担うのです。国家のことに関心がない無知な熊さん八さんは、ナショナリズムの担い手たりえません。ナショナリズムの担い手は、国政に関与する権利と自覚を獲得した市民であります。このことを見抜いたからこそ、秋瑾は国民教育の必要を痛感したのです。

徳川時代の民衆は米の値段が上がればいわゆる打ちこわしを行いましたが、北辺におけるロシアへの対応が弱腰だなどといって暴動を起こすことはありませんでした。明治三八年、ポーツマス条約の内容が怪しからん、賠償金もとれぬとは何事だといって暴動を起こしたのは、曲りなりにも憲法を獲得し議会に代表を送り出し、言論の自由もある程度獲得した東京市民でありました。

二〇世紀はウッドロー・ウィルソンや大正デモクラシーが示すように民主主義の時代です。オルテガ・イ・ガセットのいう大衆の蜂起の時代です。そして史上かつてないような民族的迫害とジェノサイドは、この二〇世紀に史上初めて出現したのです。このことの意味をよく考えていただきたい。日本なんて国は海に沈めてしまえなどという過激な言辞が中国のインターネット上で飛び交い、またその逆の言辞が日本のインターネット上に出現したのは、一部の論客が市民の自由な発言の手段として希望を託した先端技術のためであったことも考えていただきたい。

　つまり、市民的自由とか民主主義といった美名のもとに、大衆が天下国家を論じ始めて以来、かえって民族浄化であるとか、ショーヴィニズムの風潮が高まっている。これは大衆の無知のためとか民度が低いからというのではなく、国民国家が世界経済の中での利己的なプレイヤーでなければならぬ現実のもとに、民衆を教育して天下国家にめざめさせることは、結局国民国家によって民衆が掌握される度合を強化する結果をもたらすからです。

　今日の市民はいろんな情報を与えられています。デトロイトの労働者は自分の会社の景気が悪く、自分たちが失業しかねないのは、トヨタやホンダのせいだと情報を与えられておりました。世界経済がグローバル化するにつれて、自分が属する国民国家の地位が自分の生活に直結する例は増加するのですから、グローバリズムは国民国家を逆に強化することになります。われわれはますます国民国家の枠組にとらわれ、国益以外の視点は閉されてしまうのです。

　一方、社会の福祉化、人権化・衛生化が進むにつれ、個人はますます国家あるいは社会の管理を受けいれざるをえなくなります。人権化というのは変な言葉ですが、いわゆるポリティカル・コレクトネスを含めて、差別の徹底的排除の方向のことです。衛生化というのは、禁煙を含め社会環境を徹底的に殺菌・無害化しようとする方向のことです。いずれも厖大な官僚・テクノクラート、専門技術者を必要とします。国家の管理機能は増大するばかりです。いわゆる民営化は見かけは国家の機能を縮小させたとしても、管理機能を民間組織に譲渡しただけで、テクノクラート・専門技術者の数が減ったわけではありません。このような個人が国家（社会と言い換えてもよろしい）の管理に従属してゆく様相は、今後強まるばかりでしょう。それはみな、民衆世界の自立性を近代が撃滅した結果なのです。

民衆世界の自立性とは何か

民衆世界の自立性というとき、それをいわゆる共同体に直結してしまうのはよろしくないと思います。共同体は成員の生存を保障するかわりに、強い規制を成員に課します。民衆の共同というのは、いわゆるムラ共同体のような社会の約束事、生きるための装置だけを意味するものではありません。民衆にとって共同体とはいまでいう滑りどめ、セーフティネットみたいなもので、そういう外的な枠組みのほかに、民衆の心性、生活習慣・伝統に根ざす共同というものがあるのだと思います。そしてそれはそれぞれ個人の自発性・能動性で、あえていうなら創造の力でもあると思います。

坂口安吾は私の好きな作家ですが、「政治は実際の福利に即して漸進すべきものであり、完璧とか絶対とか永遠性というものはない」、しかるがゆえに党争に走るのは無意味だと述べた上で、こう言っています。「何故にかかる愚が幾度も繰返さるるかと云えば、先ず『人間は生活すべし』という根本の生活意識、態度が確立せられておらぬからだ。政党などに走る前に、先ず生活し、自我というものを見つめ、自分が何を欲し、何を愛し、何を悲しむか、よく見究めることが必要だ」。

自立した民衆世界とは、自分が何を欲し、何を愛し、何を悲しむのか、よく知っていて、そのことの上に成り立っている世界なのです。そういうことについて、自ら苦しみ自ら考え、先輩・同輩の言うことなすこともよく見、よく聞き、それぞれ自得するのであって、そういうことに関してお上や政府、学者や言論人から世話を焼いてもらう必要がないのです。むろんその世界には、いさかいも犯罪も悪徳も存在しておりますが、そういうものも含めて世界は自分のもの、仲間とともに自分が創ってゆくものなのです。伝統や習慣に助けられるからといって、その奴隷になるわけでなく、そういうものも活用して、おのれが生きることを自分で決定するのです。イヴァン・イリイチという思想家はそういう自立的な民衆世界が開発と経済成長によって滅されてゆくことに、強い反感と憂慮を抱いておりました。彼の悲劇は、彼自身の思想的基準点ともいうべき民衆の自立した世界がすでに決定的に掘り崩されて、回復すべくもない現状に抗さねばならぬところにありました。しかし、イリイチが見出した民衆世界の自立性は実にゆたかな可能性を含んでいます。民衆世界自体を回復するのはもはや不可能だとしても、それが含む様々なポジティヴな要素は、私たちの未来の構想に多くの示唆を与えてくれるに違いありません。

近代の成立要件2——知識人の出現

話を前に進めましょう。民衆世界の自立性を滅ぼして、民衆を国民に改造したのが、近代(といっても一九世紀以降のモダン・プロパーでありますが)の本質規定といえるとすれば、それとセットになるのが知識人の出現です。この知識人という社会層が成立したことが、私の考えでは近代の第二の本質規定になります。私のいう知識人とは、学者とか言論人とか文章家とかジャーナリストに限りません。もっと広く官僚や技術者、テクノクラートを含む概念です。要するに天下国家について知識をもって論じる人であります。その意味では、政治家の多くの部分も知識人にはいります。ロシア語でいうインテリゲンツィアというのは、ロシア生まれの英国の思想史家アイザイア・バーリンによれば、社会に対して道徳的責務を自覚するという特性をもっていて、西欧はこういう知識人概念に衝撃を受けたそうです。インテリゲンツィアは反体制というニュアンスも含むと思いますが、私がいう知識人は体制側反体制側のいずれにも帰属します。しかし、社会に対して道徳的責務を自覚する人びとというのは、知識人に対するわりと包括的な定義として使えそうです。

人類史のそもそもを考えると、食料生産の余剰が生じるとそれが神殿に蓄積され、そこから王権が発生するのですが、王権は日月の運行を知る「日知り」すなわち「聖(ひじり)」を必要とし、さらに余剰の管理、配分のために書記を必要とします。このような神殿奉仕者が知識人の先祖といってよろしいでしょうが、それはまだ王の顧問、官僚と分離しておらず、占星術者や数学者が知識人として独自の機能をもつこともありませんでした。中世における知識人は主として修道院からリクルートされて、王の導師、あるいは王の良心の保証人のような役割を果します。イングランドからやってきてシャルルマーニュの顧問格になったアルクインなど代表的な例です。

しかし、こういった修道僧出身の王の助言者たちも、また時代はぐっと一七世紀にくだって、ルイ一三世のリシュリュー、一四世のマザランといった絶対君主の政治・財政顧問も、その性格がまだ近代の知識人とはおよそ異なっております。なぜなら、アルクインからマザランに至るまで、彼らはいかにして王権という秩序を維持するかということに腐心していただけでありまして、社会を改造せねばならぬとか、民衆を教育せねばならぬなど考えた形跡がないからです。

しかしルネサンス期には早くも、『ユートピア』の著者であるトマス・モアのように、理想的な社会を構想する思想家が出て来ます。彼の場合重要なのは、社会は設計できるものだというアイディアがはっきり生まれていることです。ただ彼は、当時の社会の腐敗を糾弾するために、現実と対照的なおとぎ話としてのユートピアを語ったのであって、彼にとってユートピアは実現目標ではなく、現実を諷刺するために提示されたのです。あくまで現実に行われている愚行を諷刺するためのおとぎ話なのです。実際に「ユートピア」に描かれているような社会を計画し、実現しようと考えたわけではありません。

しかし、モアにおいて、社会は計画的に改造できるという思想が生まれたことは重要です。何のために改造するのかというと、むろん万人が平和かつ幸福に生きられるためであって、政治に初めてヒューマニズムが登場したのです。これは徳川時代の名君の仁政とはよほど違っておりまして、名君たちはなるほど領民の安寧と福祉に心を砕いたけれど、そのため社会を改良しようなどとは考えておりません。モアに至って初めて、万人の安寧・福祉のために社会を改良・改造しようという思想が出てくるので、これこそヒューマニズムの政治への初登場なのであります。

日本においても、徳川中期になると、これに似た現象が生まれて来ます。社会は天から与えられた運命なのではなくて、あくまで人為の制度なのだと荻生徂徠が考えたのはその一例です。人為の制度なら改造も可能なわけです。工藤平助、本多利明、海保青陵などのいわゆる経世家が生まれてくるのも、政治におけるヒューマニズムの発見と言ってよろしいかと思います。ただ現実的には、彼らは為政者に対して献策を行ったので、いわば経営コンサルタント的性格、リシュリュー、マザランの域を出ていない。明確に社会の改造を意図したのは安藤昌益だけでしょう。

近代的知識人とは誰か

以上はアーリイ・モダンの思想家たちでありますが、近代的知識人とはまだいえない。近代的知識人とは明確に社会改造の意図を抱き、しかもその改造を社会工学的合理的設計図によって行おうとし、そして決定的には、民衆を啓蒙し改造しようという意図を自覚する人びとのことであります。このような知識人の最初の明確な現われはフランス革命直前のフィロゾーフたち、いわゆる百科全書家であります。彼らが先行するアーリィ・モダンの思想家とちがうのは、合理主義の使徒である点だった。つまり理性による現実の支配こそ、彼らにとって新しい人類史の幕明けだったのです。

アーリィ・モダン段階では、学者や宗教者たちは民衆世界に介入しようとはしていないのです。彼らは無知であって一向構わないので、自分たちが王侯に正しい助言を行えば、この世は正しく運行してゆくのだと考えている。民衆世界とは一歩足を踏みいれたら、何が出てくるかわからない怪しげな世界であって、こんなものはそっとしておくに限る。要は自分たち学識ある者たちが王侯に正しい統治を行わせればよいのだというわけです。

一例をあげましょう。これはカルロ・ギンズブルグというイタリアの歴史家が明らかにしたことでありますが、一六、七世紀のイタリアの民衆世界では、カトリック教会からすればまったくの異端としかいいようのない習俗が行われておりました。キリスト教以前の古い信仰・民俗が、カトリック教会全盛というべき中世を通って生き残っていたのでありますが、実情を知ってローマ教皇庁は愕然としました。しかし、それを異端として征伐し始めたら大変なことになって収拾がつきません。結局、さわらないで放っておくことにしたのです。異端めいた行事を行って平気な顔をしている民衆は、表はちゃんと教会へ通いますし、教皇・

司教・司祭にも頭を下げます。それでいいじゃないかというわけです。統治は彼らがやるわけじゃないのですから。

ところが、啓蒙主義者はそうは考えなかった。彼らはこういった迷信はもちろんのこと、カトリック正統信仰も迷蒙として、民衆の心から追い出そうとしたのです。フィロゾーフたちはフランス革命をひき起こしました。その革命とは、民衆を動員するものでありました。動員するからには教育せねばなりません。これが民衆を国民に改造することであり、ナポレオン戦争を通じて、フランスは国民がわが手で国家を防衛する国民国家として生まれ変ったのです。

つまり、近代知識人とは国民国家の創造をその任務とするものであります。国民国家とは民衆が国民たる自覚をもつことによって成り立つのでありますから、何よりも民衆を改造せねばなりません。改造しようとすれば、世話も焼かねばなりません。すなわち、迷蒙なる民衆世界に手を突っこんで、思う形にこねあげようとするのが近代知識人なのです。だからこそ、民衆世界の自立性の破壊と近代知識人層の成立とが表裏一体の現象として現れるわけです。

私の知識人の規定に一定のバイアスがあるのは明らかなことでしょう。自立した民衆世界の崩壊と、民衆を教育し介助し管理しようとする知識人の出現をセットとしてとらえたのですから、そこに浮びあがる知識人の相貌も一定の光に照らされたものにならざるをえないのです。

みなさんの中には、私が述べているような知識人とは違った位相の知識人もあるのではないかと思っておられる方もありましょう。たとえば社会主義的な知識人、あるいは反国家主義的な知識人がいるじゃないかというわけです。しかし、社会主義者が国家権力を掌握したとき、社会主義国家が資本主義国家よりはるかに強力に国民を統制し、極端な愛国主義で国民を鼓舞するのは、過去のソビエト、今日の中国の例で明らかなことです。いわゆる社会主義国は中国の例を見ても、インターステイトシステムにおいて自国の国益を主張する強力なプレイヤーです。

知識人には実はもうひとつ、世捨て人のタイプがあります。これはディオゲネス、西行以来、脈々と続く伝統であります。大体、宗教家というのは人間改造をもくろんだ最初の人間といってよいかもしれないのですが、その宗教家の中にも、教化的な言説をつねとする自分を疑う人物が出てまいります。教信沙彌(きょうしんしゃみ)などその典型でありましょう。都で名僧智識とうたわれた教信はある日姿を消してしまう。そして、かつての知人が彼をある日見出したとき、ある川のほとりの渡し守になっていたという。国家とか社会とかという位相に存在する人間のありかたは虚偽であって、世間を捨ててこそ人間の実存が成りたちうるというわけでありましょう。

このような系譜に連らなる知識人のありかた、つまり世俗的関心から離れた思索に沈潜するタイプの知識人というのも確かにあると思うのですが、それは本日の考察から捨象させていただきます。私は社会的な機能を担う層としての知識人を問題にしているのですから。

管理社会への問い

天下国家がどうなろうと、そんなことにまったく関心を持たずに、それでもちゃんと自分たちで生活を成り立たせてゆくような民衆社会は、今日完全に消滅してしまいました。ひとりの人間が安全にそしてそれなりに快適に一生を過すためには、膨大な数の専門家による管理が必要になったのが今日の社会です。この管理とはケアの供給であり、ケアされる人間はニーズのもちぬしであります。つまり人間は、ケアによってみたされるニーズによって表現される存在となりました。

もちろん、専門家はケアつまり福祉だけに関わっているわけではありません。ケアを十分に供給するためには経済的基盤が必要であり、一国の経済をつつがなく運営して成長させるためにエコノミストがいるわけであります。さらには社会全体のシステムをつねに監視し、ほころびを修繕し、必要な改造を計画する社会工学者たちの大群がいます。また社会に発生するコンフリクトを処理する弁護士などの専門家がいますし、つねに侵害を免れぬ人権のためには人権活動家がおります。さらには、情報の活用が大事とあれば、官庁・民間企業を問わず情報アナリストがいなければなりません。権力に民意を反映させるためには、テレビマン・新聞記者・報道作家が欠かせない。からだだけじゃなく、心の病気のためにも医者からカウンセラーまで必要です。実に複雑化した各種各方面の専門家のおかげで、私という一個人の生存が成り立っているというわけです。

でも、ほんとうでしょうか。ほんとうにそんな専門家がみんな必要なのでしょうか。そう問うことはよしましょう。よってたかって指導され助言され世話を焼かれることに私たちはもはや慣れ切っていて、そのようなケアのすべてをスムーズに提供できない政府は、民衆によって倒されることになっているのですから。実際、高齢化による老後の不安は、国家あるいは社会が提供してくれる支援・介護なしには解消しないのですから、自分の一生が専門家によって管理されつくすのに文句を言うのは罰当りなのかもしれません。そんなケアは、むかしは仲間同士が提供しあっていたものだなんて言っても、今を昔になすよしもがなです。

ですが、民衆社会の自立性、つまり国家や行政のお世話にならなくても、ひとの一生はちゃんと仲間うちで完結していたという自立性に、私はあくまで憧れるものであります。もちろん、現代においては国家や行政の一定の関与は欠かせません。私は国家の介入を悪とする市場万能主義者ではありませんし、ケインズ主義の適切な復権こそ今日必要ではないかと考えております。教育から医療から警察にいたるまで、民間企業に任せたほうが安上がりでしかも効率的だなどという民営化論に、私は与する者ではありません。私はそんな効率論ではなしに、人間というより人格の尊厳と自由のために、国家・行政、そしてその担い手である専門家集団、言い換えればインテリの集団の管理から独立して在りたいのです。彼らの働きを活用し、彼らに援けられるとしても、精神は自立していたいのです。そんな虫のいいことができるかと言いたい方もありましょう。でも絶対不可能とは思いません。ディケンズのある小説に、「福祉」につかまることを死ぬほどおそれて、放浪の旅に出て死んでしまうお婆ちゃんの話が出て来ます。現代ばなれのした話ですが、私自身は少なくとも精神はそうありたいと思います。このお婆ちゃんは行く先々でちょっとした仕事をし、人々の情に包まれて一生を終えることができたのです。

福祉にせよ医療にせよ教育にせよ、民衆を管理し改造しようとするのではなくて、民衆自体の自主的なユニオンが、需要をみたしてゆくような方向がもっと考えられるのではないでしょうか。まあ、これ以上夢みたいなことは申しますまい。でも教育ひとつとっても、無理に学校へゆくことはないと思いますけれども。こんなに書物が溢れ、図書館だって沢山ある世の中に、自分で勉強できないわけがないでしょう。私は学校でしか習えなかったことは何もありません。全部自分で勉強したし、学校から得たものはありません。もっとも、理科系の専門性の強い分野は、そういうわけにもいかないと思いますが。しかし私の今日の話は、近代とは何ぞやということをある側面から述べたものでありますから、その結果出現した事態にどう対処するかという点では、これくらいでお茶を濁すことにします。

反国家主義の不可能性

最後に申しあげたいのは、民族国家対立もしくは競合という近代の所産を超える途はあるかということです。みんな世界市民になって世界国家を作ればよいなんて処方箋はだめです。そんなことは昔から主張されていて、しかもその言説に反比例して、民族国家は厳として存在を強化しているのですから。また、経済のグローバリズムによって国家の機能が弱まったなどというのは、とんだ藪睨みです。グローバルな資本移動が起りパニックが生じると、国家防衛に必死になるのが現状じゃありませんか。結局は国益、国益なのです。当り前ですよ。世界経済の中で自分の国が没落するというのは、景気の悪いのが一切の元凶だとみんな口を揃えている国民のたえられるところじゃありませんからね。

ですから国際社会には、インターステイトシステム、すなわち世界経済内で国民国家の地位を争うシステムから離脱する兆候はありません。右を見ても左を見ても、自国の経済的立場を防衛しようとしております。外国人の参政権を認めるとか、移民を歓迎するなどという、一見国民国家と反するような現象も、国家の統合と国際的地位を防衛するために、「国民」の枠をひろげているにすぎません。一方、サッカーの国際大会は世界戦争の代理現象になっています。そのこと自体は戦争するよりましですが、国民国家単位の自尊・自己満足はとどまるところを知らぬ現状です。

これは少なくとも私にとっては不愉快なことです。日本をやっつけたぞ、ザマミロなんて言われると、こっちもムラムラとくる。××国をやっつけたぞ、ザマミロなんて気持はもともと自分にはないはずなのに。逆にそう言われると、何を、やっつけられるのはてめえだぞ、なんて気分が生じないでもない。そんなことで、属する国家が違うからと言って対立せねばならぬものかと思う。自分がそんなふうに国家に規制されていること自体が不愉快である。いろいろな理由で世界は当分国民国家の並立・競合が続くだろうけれど、私自身はそんなふうに国家から支配されたくない。それに左右されたくない。自由なひとりの人間として生き、ものを考えたい。

世の中には反国家主義を大変自慢気に標榜されている方々がありますが、私はその気持もわからないではありません。だがその考えは貫徹できないと私は考えています。それにはふたつの理由があります。

第一に、今日の国民生活、とくにその経済的水準は、自分の属する国民国家の世界経済内でのパフォーマンスに左右されます。国民の生活水準を維持したいならば、並立する諸国民国家との経済的競争にかち抜かねばなりません。ですから、国家なんてオラ知らねえというのは、自分の属する国民国家が国際競争に敗れて、国民の生活水準が低下してもオラ知らねえというのと同義なのです。これは到底、国民の同意を得られる態度ではありません。もちろん、生活水準なんてどうでもよろしいという生きかたは、個人の信念としては可能です。だが、個人として信じる道は他者にもすすめてともに歩みたい道であるはずですから、他者にすすめても到底受けいれてもらえない道というのは、何か欠陥があるのです。

もちろん、国際社会において各国民国家は厳しく対立・競争しているだけではなく、協調・協力という面もこれからますます重要になるでしょう。しかし、そういう調和的な国際社会（それこそ、共同的な人類社会への第一歩なのですが）における行動を可能ならしめるためにも、国家の舵取りはこれまで以上に賢明であらねばなりません。反国家と言って澄ましているわけにはいかないのです。

第二に、人間には群れから離れたい衝動と、にも拘わらず群れと心理的に一体化してしまう慣性とがあります。どんなに離群の衝動が強い人でも、気がつけば自分の出身地の高校野球チームを応援したりしています。風土というのはおそろしいもので、そんなものには束縛されないぞと思っていても、たとえば列車に関西弁を喋る一群がどやどやと乗りこんでくると、思わず身構えてしまう。昔は隣村は仇みたいなもので、青年団同士で出入りが起こる。これは村だけでなく、都市でも私の子どものころは、隣町の子どもは仇で、うっかりそこを通れば捕虜になるおそれがありました。学校が違えばライヴァルだというのは、いまでも存在する心理だと思います。大人になったら笑って思い出話をするでしょうが、子どものときは真剣なのです。

村や町に生活基盤に支えられた共同感情があるのは当然だが、国家は幻想の共同体ですよ、ベネディクト・アンダーソンがそう言っていますなんておっしゃりたい方がありますか。幻想の共同体というなら、国家のみならず町や村もみんなそうです。家族だって共同幻想の所産です。いや、村や町や家族には現実の共同的基盤があるんだよというのは、甚だ不徹底な観察で、国民国家が一九世紀初頭に人為的に創出されたとするなら、町や村はわが国では一五世紀に人為的に創出されたのですし、今日のような形態の家族だって法や習慣づけられた心性に支えられているわけで、幻想の所産にほかなりません。要するに幻想の濃度がそれぞれに異なるだけですし、幻想にはそれが出現・成立すべき現実的根拠があるというだけのことです。

国家は幻想だといえば、それから簡単に解放されたような気分になるのは錯覚です。幻想だからこそ厄介なのです。幻想というのはすべて現実に出現の根拠を持っていますから、すこぶる頑強なのです。私たちは風土と言葉によって人間となり、個人となったのです。この風土と言葉は強く特殊性を帯びていますから、個人としての私に日本人という共同の網をかぶせてきます。そして風土も言葉もたんなる実在ではなく、すでに観念によって染めあげられたものですから、日本人という幻想の網は、それが幻想だということを知ったからといって、どうにもなるものではありません。

もちろん、私たちは自分が日本という民族国家の成員である事実を、可能なかぎり相対化せねばなりません。しかし、それを相対化し尽しても、日本人という風土と言葉の生い立ちは残ります。日本人は大嫌いだと日本人自身が言うのは滑稽ですが、それは人間であるくせに人間は嫌いだと言っているのとおなじで、そういう気持は誰の心にも起こりうることだと認めねばなりません。しかし、それでも、フランス人になりたいわけじゃないし、チンパンジーになりたいわけでもありません。要するに人間特有の自己嫌悪であります。いや人間だけでなく、お猿さんにもどうやら自己嫌悪はあるみたいです。

かなりゴチャゴチャしてきましたから整理しますと、私たちは自分の国や自分の仲間の国民を嫌悪することはできますが、彼らの運命から自分を切り離すことはできません。今日、自分の同胞である人びとが国民国家の国民という存在形態を生きている以上、自分だけ、オラ知らねえといった態度はとれない。これが、反国家主義が突きつめると成り立たぬ理由の第二になるかと思います。

国民国家における「人間の条件」

幕末の民衆社会の成員が、いわゆる国家的大事について、オラ知らねえという態度がとれたのは、民衆社会が国家的次元の出来事に左右されない強固な自立性を備えていたからで、民衆社会の内部では、人びとは自分たちの問題と主体的に取り組んでいて、オラ知らねえなんて態度はとっていなかったのです。これは実は健全な事態だったのだと思います。

というのは、国民の一人一人が国政や外交方針などについて、十分な知識と見識を持たねばならぬなんて、しんどいことじゃないでしょうか。現実には、国民一人一人が国政に参加して論客となれば、そこに出現するのはメディアに煽動されたポピュリズム政治であることが多いようです。そもそも民主主義政治というのは、国民全部が論客になって議論せねばならぬものでしょうか。それでは何のために代議制があり、何のために政治家という職分があるのでしょうか。国民国家単位の国際的競争によって国民の生活水準が左右される以上、国家なんて知らねえという態度は成り立たぬと私が申しあげたのは、だから国民が国家意識にもっと目覚めよとか、勉強して自分の手で国の舵取りができるようになりなさいとか、そんな意味ではまったくありません。国民が全員政治に関心があって、政治評論家になるというのは実は不健全な状態だと思います。

私たちの一生のうちに遭遇する大事な問題は、何も国家とか国政とかに関わる性質のものではありません。そんなものと関係がないのが人間の幸福あるいは不幸の実質です。また私たちはまったくの個人として生きるのではなく、他者たちとともに生きるのですから、その他者たちとの生活上の関係こそ、人生で最も重要なことがらです。そして、そういう関係は本来、自分が仲間たちとともに作り出してゆくはずのものです。

近代というのは、そういう人間の能力を徐々に喪わせてゆく時代だったのではないでしょうか。すべての生活の局面が国家の管理とケアのもとに置かれ、国家に対して部分利益を主張するプレッシャー・グループとして行動するか、正義やヒューマニズムの名のもとに異議申し立てをするかの違いはあっても、いずれも国家に要求するという行動様式に型をはめられてしまう。要求すればするほど国家にからめとられてゆく。そして、実質的な人生のよろこびから遠去かってゆく。この点では、専門家として民衆生活の管理・改造をめざしてきた知識人の責任はきわめて大きいものがあります。

今日の私の話は、客観的な事実問題として、近代とくに一九世紀以降の近代プロパーの時代を、民衆社会の自主性の解体と知識人の成立という側面から見直そうとしたもので、それがもたらした事態をどう打開すべきか、また国民国家という今日における「人間の条件」をどう考えたらよいのか、といった点まで踏みこむ必要はなかったのかもしれません。しかし、私の日頃の関心からして、そこまで踏みこまずにはおれなかった次第です。また踏みこんだといっても、甚だ中途半端な歯切れのよくないものになってしまいましたが、これは私の能力、つまりアタマの限界を示すものでありますから、十分にご批判ください。といっても、この場で議論をあれこれしても互いにしかたがないと思いますので、心のうちで批判的にお聴き下さればありがたい次第です。

第二話　西洋化としての近代

――岡倉天心は正しかったか

現代社会の様相

今日の近代化された世界が、同時に西洋化された世界であることはいまさら確認するまでもないでしょう。このことはファッションひとつとっても明らかです。今日では首脳会談に出席する各国代表はみんなスーツを着ています。中国代表は一時期まで、例の人民服で世界中に出かけていました。スーツを着た毛沢東なんて、想像もできません。しかし今では、胡錦濤だって温家宝だってスーツを着ています。もっとも人民服にしても洋服の一種なんですが……。一般庶民のレベルでも、Tシャツ、ジーパンといったファッションは全世界で日常化しています。もちろん、ファッションだけのことではありません。都市の様式においても、全世界がニョキニョキと高層ビルの林立するアメリカンスタイルに右へならえしています。アフリカのサバンナの真中に、こういう「近代都市」が出現している光景はほんとうにショッキングです。

学問や芸術といった精神世界も同様です。同様というより、この領域では事態はもっと徹底しているかもしれません。大学を中核とする学問が完全に西洋起源のものであることは、非西洋世界における大学教育がそれぞれの国語で行うことが困難で、英語（あるいは独語、仏語）で行わざるをえなかったという、初期の事情からして明らかです。どの非西洋国家でも、大学教育を国語化するためには、それまで存在しなかった概念を、西洋語から翻案して造語せねばならなかったのです。

芸術の領域では、各民族の個性がまだしも残されてはいますが、様式という点ではやはり完全に西洋化されています。たとえば小説をとっても、一九世紀ヨーロッパで完成したロマンとノヴェル、それが二〇世紀になって変型されたアヴァンギャルドスタイルという大枠に則って、内容の点で地域的特色を盛った作品が書かれているわけです。つまり、今日の小説の書き方は西洋で進化したものなのです。美術や音楽においても、事情は同様だと思います。

日常生活においても、旅行という卑近な例を顧みただけで、われわれの生活がどれほど西洋化しているか気づくことができます。ひと昔前なら汽船、いまは飛行機、それに鉄道・自動車という交通手段はみんな西洋が作り出したものです。たとえば一九世紀中頃、西洋人が汽船で日本へやって来たとしても、上陸すれば日本式の旅屋に泊り、乗りものといえばカゴか馬に乗らねばなりませんでした。しかし今日では、人びとは世界のどこへ行っても、飛行機、鉄道・自動車を利用し、西洋風ホテルに泊まることができます。つまり世界は近代化されたわけですが、その近代化とはまったく西洋化にほかならなかったわけです。

「近代化＝西洋化」図式への批判

ですから、非西洋地域の近代化がウェスタン・インパクト、西洋の衝撃として記述されたのは当然のことなのです。ところが一九八〇年代ごろから、このことに異議を唱える風潮が生まれてきました。サイードの脱中心化の主張など、いわゆるポストモダニズムの一端といってよいかと思いますが、近代化が西洋化であった事実を否定し、ウェスタン・インパクトの意義をひき下げ、非西洋地域はそれぞれの主体的動機によって多様な近代化をとげたのだとする主張が学界の流行になったのです。

一例をあげると、中国研究家のポール・A・コーエンは『知の帝国主義』という著書で、彼らよりひと世代前の中国研究家、フェアバンクたちのウェスタン・インパクトへの反応を軸とする近代中国史の解釈に反対し、中国の近代化のプロセスは西洋の衝撃に対する反応というよりも、それまでの中国の伝統から生じた課題への反応という面の方がずっと強いと主張しています。これは変な議論です。中国だけではなく日本でも、近代化は徳川期に蓄積された諸矛盾・諸課題への反応であったでしょう。しかし、その反応はウェスタン・インパクトというものがなかったら、あのような形で開始することも、あのような形で進行することもなかったでしょう。そもそも中国あるいは日本のそれまで蓄積された諸矛盾を課題としてうけとめるためにも、ウェスタン・インパクトは必須の契機であったのです。

なぜ、こんなおかしな強弁が、さも研究の新しく良心的なスタイルであるかのように装って出現するのでしょうか。コーエンはヴェトナム反戦世代に属する研究家です。つまり、西洋主導の近代化が善であり、かつ世界史の王道であるかのような前世代の「近代化論」を批判したいのです。しかし、中国史のフェアバンクや、日本史のライシャワーのような近代化の無条件的肯定、言い換えれば西洋中心史観を否定するために、西洋主導の近代化、世界の西洋化の事実を、そんな事実はなかったよ、ウェスタン・インパクトを過大に評価してはいけないよと、消ゴムで消すように抹消するのはおかしなものではないでしょうか。それがヴェトナム反戦を通過した学究の良心的態度であり、ひいては西洋中心史観を脱却した新しい歴史認識といえるでしょうか。何ともおそるべき倒錯といわねばなりません。

フェアバンクやライシャワーの西洋中心主義的な「近代化論」を批判したいのなら、西洋が世界を制覇して「近代」を普遍化した事実を正直に認めた上で、それが「進歩」であり善であり、向上であるといった単純な価値観を批判し、「近代」をのりこえてゆく途を模索すべきなのです。それなのに、近代化はウェスタン・インパクトによるものではなく、各地域のそれぞれの課題への主体的なとりくみの結果なのだなどと主張するのは、西洋の世界制覇の事実を隠蔽し、今日の近代化された世界を、各地域の伝統への主体的応答の結果としてジャスティファイするものです。コーエンの場合は、八〇年代以降一世を風靡したポストモダニズムとは何であったかということを暗示する好例だと思います。

もちろん、西洋の地位は政治的経済的に低下しております。西洋のうちにアメリカを含めてさえ、西洋諸国の優越がやがて終焉を迎えるのは、中国やインドの台頭を見れば明らかなことです。しかしそれは、アジア文明が過去の栄光をとりもどして、西洋文明にとって替るということではありません。チャイナ・アズ・ナンバーワンという未来予測は一時の軽躁な流行に終るでしょうが、仮にその予測が実現したとしても、そのチャイナは西洋起源の文明を鎧った国家であるからこそナンバーワンでありうるのです。つまり、世界が近代化＝西洋化してしまえば、歴史的な「西洋」以外のどんな国が世界の政治・経済におけるヘゲモニーを握ったとしても、制覇しているのは西洋起源の近代文明である事実に変りはないのです。

世界を制覇した西洋文明

世界の近代化が西洋文明の世界制覇にほかならぬということは、昨今かまびすしいグローバリゼーションによって、いよいよ鮮明になりつつあります。グローバリゼーションの波は一六世紀以来何度も世界を襲ったのでした。今回のグローバリゼーション現象もそのひとつ、あるいはその究極の姿にほかなりません。そして、そのグローバリゼーションとは西洋起源の生産様式、生活様式、さらには思考様式が世界を制覇するということです。そのことは、いわゆるグローバル・スタンダードなるものが、その実ウェスタン・スタンダードにほかならぬ事実にはっきりと表われています。

もちろん、西洋化といっても、アングロサクソン系と欧州大陸系の文化はかなり異なります。資本主義制度をとっても、両者に違いがあることはよく指摘されるところです。アジアにおいて、資本主義制度が地域によってそれぞれ特有の個性を示すことも、ひろく知られている通りです。また西洋が世界を制覇してゆく過程で、たとえばアフリカの黒人文化がモダン・アートの形成にひと役買うとか、ジャポニズムがもてはやされるとか、主として芸術の分野で非西洋地域からの反作用が認められることも無視するわけにはいきません。

しかし、そのような地域的個性がいまなお生きて役割を果たしていることは事実としても、おしなべて今日の近代化された世界が西洋化された世界であることは、アフリカからアジア、中南米に至るまで、そこで語られている言葉が、自由であれ人権であれ民主であれ、さらに個人であれ平等であれ福祉であれ、さらには科学的合理性であれ、今日世界の普遍的言語はすべて西洋起源であるという事実に歴然と示されております。英語が世界共通語となっているのは、けっして偶然ではないのです。つまり、地球上のひとりひとりの人間は、半分は日本人、中国人、インド人等々であるかも知れませんが、半分はヨーロッパ人化しているのです。

このことは、世界中のひとりひとりの人間が、特定の国民国家（ネイション・ステイト）の一員として存在する事実のうちに、さらに明確に表われております。ひとりの人間が参政権・生存権・教育権を国家から保証されるかわりに、納税と防衛の義務をもつというありかた、つまりひとりひとりの人間が国民という存在形態をとらねばならぬという事態は、ナポレオン戦争以後ヨーロッパで生まれたのです。そして、そういう国民国家がいったんヨーロッパで生まれると、他の地域の国々も競ってそれを模倣して、国民国家の建設にいそしまねばならなかった。そうしないと、新たに形成されたインターステイトシステム、つまり国際社会において悲惨な境遇に陥らねばならなかったからです。これがつまり、世界が西洋化される根拠であったのです。

経済化された世界

国民国家の実質はむろん資本主義であります。資本主義的生産様式が人びとの生活に画期的なゆたかさをもたらしたからこそ、国民国家的統合が可能になったといってよいのです。アンガス・マディソンというイギリスの経済学者によりますと、人類の一人当りGDPは西暦元年には四〇〇ドルであり、これは西暦一〇〇〇年まで変化しなかったそうです。つまり一千年間ゼロ成長だったのです。これは技術的進歩によって生産がふえたとしても、すぐに人口の増加によって喰いつぶされるからなのです。一〇〇〇年から一八二〇年までの間に、わずかな成長があって、一八二〇年には六〇〇ドルに達しました。といっても八百年余でわずか二〇〇ドルの成長です。しかし、一八二〇年以降急激な成長が生じ、二〇世紀末には六〇〇〇ドルを超えるに至りました。

この急激な経済成長はもちろん、技術的進歩に支えられた近代的大工場制がもたらしたものですが、このマディソンの推計を紹介しているW・バーンスタインはそれだけではだめで、成長のためには四つの条件が必要だというのです。私有財産制の確立、科学的合理主義、効率的資本市場の成立、移動・通信手段の進歩、この四条件が満たされなければならない。この四つがいずれも西洋起源であることは明白でしょう。バーンスタインはアメリカの投資家だそうですが、この『「豊かさ」の誕生』という本は素人らしい粗雑さを伴いつつも、よく出来ています。もっとも、かなり一面的な本ではあります。しかし、資本主義が人類にそれまで経験したことのない豊かさを与えたことは、バーンスタインでなくとも、ひろく認められている事実でありましょう。西洋的な資本制国民国家を建設せねば、豊かにもなれないし、インターステイトシステムの中で蹴落されるかもしれないとあれば、非西洋地域の諸国家が西洋の制度文物の移入に必死になったのは当然です。それは非西洋地域の様々な伝統を破壊しほろぼしたわけですが、ほろんだのは非西洋地域の伝統だけではなく、「古きよきヨーロッパ」もまた新しく誕生したヨーロッパによってほろぼされたのだということを忘れてはなりません。つまり一八世紀末から一九世紀初頭にかけてヨーロッパで成立した新しい産業制度、それとリンクしたインターステイトシステムは、ヨーロッパ自身も含めて全世界を変革し変形したのです。

これは見方を換えれば、世界の経済化ということでもあります。国内の統治において、経済運営が課題の中心を占めていることは、日々のメディアの報道を見ても明らかなことですが、国際関係においても、主要な課題は各国間の経済上の摩擦の解決、あるいは通貨、貿易を通じての角逐であります。こういう経済的課題の優越は、たとえば一五、六世紀の日中関係においては考えられぬことなのです。社会の経済化は何もウェスタン・インパクトによってもたらされたのではなく、日本の場合徳川期の中期にははっきりとその様相が現れています。八代将軍吉宗は大坂の米相場につねに注目していて、米将軍と呼ばれたほどです。しかしおなじく経済化といっても、今日世界各地の人間の生活が、徹底的に経済によって支配されている様相は、徳川期社会の経済化などとはまったくレベルの違うもの、あえていえば異質な段階のものといわねばなりません。そのような世界の全面的経済化の起源が、一八世紀末から一九世紀初めにかけての西欧にあることは明白です。

セルジュ・ラトゥーシュと岡倉天心

今日の経済の異様な肥大ぶりは、逆に脱経済成長主義という思潮を世界的に生み出していますが、フランスの代表的な脱経済成長論者のセルジュ・ラトゥーシュは『経済成長なき社会発展は可能か？』という著書の中で、飽くなき開発と経済成長を追求する「経済化された世界」をもたらしたものは、進歩・普遍主義・自然支配・事物を数量化する合理性という西洋的価値であり、現実を経済のみの観点からとらえようとするのは西洋特有の傾向だと主張しています。

ラトゥーシュの脱成長主義は、より少ないモノで満足し、より少なく労働し、自然と仲間との交わりにおける共愉（コンヴィヴィアリティ）を重視する生活スタイルを提唱するもので、具体的には経済を一九六〇年代の規模まで縮小することを目標にしています。イヴァン・イリイチの影響は共愉という用語からして明らかで、まともに受けとって検討するに値する提唱だと思います。しかし、今日のような開発と経済成長の暴走、それによる自然と社会の破壊によってきたるところを、西洋が生んだ価値、つまりは西洋的思考の特性に帰してしまうのは、今日の異常な世界をもたらした元兇は西洋だという単純化につながらないでしょうか。

私はラトゥーシュの言説を読んで、かつての岡倉天心や大川周明のそれを思い出してしまいました。天心はヨーロッパ人を狩猟民族と規定し、その自然に対する態度を攻撃的・支配的・収奪的だと批判したのです。天心や周明の西欧文明批判に一定の正しさがあるのは、ラトゥーシュの主張に一定の正しさがあるのと同等です。しかし、それなら天心や周明のアジア主義が結局は正しかったのかとなると、そんな単純な判定はけっして成り立ちません。ということは、ヨーロッパ文明に対して非ヨーロッパ文明を対置して、ヨーロッパ文明の世界化を今日の破局の元兇とするラトゥーシュの主張は、かつてのアジア主義とおなじような単純化一面化に陥りかねぬ危さがあることになります。

なぜ西洋モデルは普遍化したか

もう一度おさらいをしますと、西洋が産んだものの考えかた、制度、生産様式、技術・設備が全世界を制覇して、普遍的な近代モデルとなりえたのは、何よりもまずそれが人類史上画期的な衣・食・住の向上をもたらしたからであり、しかも、その〝ゆたかさ〟が、国際社会において強力な国民国家を形成する方向においてしか実現しえなかったために（日本の近代化が富国強兵の形をとったのはそれゆえです）、近代的な国造りが全世界的スケールで、一種の緊急避難のような切迫した要請として立ち現われたからでした。西洋モデルの近代化をそれぞれの国情にあわせて実現しないと、国が滅びてしまう、つまり国民生活が破綻してしまう、さらには植民地化してしまうという、切実な事情が存在したのですし、その事情は今日もなお本質的には変わっておりません。もちろん、植民地化などというのは今日の国際社会において起りえないことですが、一国の経済が外国資本によって支配されてしまう可能性は潜在的に存在していますし、何よりも、西洋モデルの近代化のコースを息せききって走り続けないと、国際的競争に敗れて悲惨なことになってしまうという強迫観念は、夢魔のように人びとを脅やかし続けています。

しかし、西洋モデルの近代化という課題が、絶対的な要請のごとく、全世界のあらゆる地域にのしかかって来たのは、そういう力学が働いたためだけであったのでしょうか。夏目漱石はマードックが近代化における日本人の成功を賞賛したのに対して、明治一代の変化はただそうせねば生存できなかったからにすぎず、丁度葉裏に隠れる虫が、鳥の眼を晦ますために青くなるのと同様だと述べております。これは漱石が明治の近代化を文明開化というきれいごとではなく、善悪以前の強制力の所産と捉えていたことを示すもので、さすがの眼力といってよろしいでしょう。しかし、その漱石にしても、明治になって日本人が受け入れた様々な西洋の文物や制度を、仕方がなくて強制されたものにすぎぬと言い切れたはずはないでしょう。でなければ、第一彼は小説を書いたはずはないのです。彼が書いた小説は、明治の小説の中でも最も西洋的な性格の強いものであります。

非西洋地域の人びと、とくにそのうちでも知識層はいやいやながら西洋の近代モデルを受け入れたわけではなかったのです。そうせねば生存できぬからそうしたのだというのではないのです。むしろ彼らは人間の新しい可能性、文明のもっと魅惑的なありかたを示すものとして、それを歓呼して迎えたのです。この事実を忘れてはならないのです。むろん、それは単純なプロセスではありませんでした。彼らは西洋の近代の学問、思想、文学に感動しながら、近代市民社会の現世的功利主義や環境世界と他者を対象化する合理主義に違和感を禁じえませんでした。西洋近代の市民社会を個人の利害に収斂するエゴイズムの社会として批判したドストエフスキーが一方では、ヨーロッパの文学や思想に涙の出るような愛着を持っていたのは、そういうアンビヴァレントな心情を示す典型例だといえます。漱石だってヨーロッパの学芸に深く魅せられていたのであって、さもなければ、『それから』の代助のような典型的な西洋かぶれを、同情的に造型したはずがありません。

西洋近代の贈り物

では、西洋的な近代モデルを、それを受け入れなければ生存を全うすることができぬ、という強制力のせいだけではなく、人類が達成すべき諸価値を実現するものとして受け入れた非西洋地域の人びと、とくにその知識層にとって、その魅惑ある諸価値とは何であったのでしょうか。それは何よりもまず人権という考えかたであったと思われます。人権というのは、地域共同社会、国家といった集団以前に、ひとりの人格つまり個人というものの存在を侵すべからざるものとみなす考えかたで、そこから、法以外によって逮捕投獄されることはないとか、平等とか自由という準則が生まれてくる。もちろん非西洋地域においても、そういったものに近い価値を考究しようという動向は存在したわけですが、西洋ほどクリヤーにそういった価値が定立し、社会において実現すべき目標として設定されることはなかった。侵すべからざる個人というのは初めてそれと接触した非西洋人にとっては、実に鮮烈な観念であったはずです。こういう観念は西洋近代において突如出現したというものではありません。宗教というものはキリスト教であれ仏教であれ、神の前仏の前の平等を説くものでありますから、個の生命の自覚は東洋でも西洋でも、近代以前にすでに発芽しております。しかし、それを人権・平等・自由という社会的価値として定着させたのはただ西洋近代のみであったのです。

もちろん、こういう個の自覚、それに関連する自由や平等の観念は、共同社会であるとか、地域・職能集団であるとか、あるいは国家・民族とか、人間のもうひとつの本質をなす群（むれ）との関係をどう調整するかという点で、それが近代欧州において成立した初発から問題を含んでいたのでありまして、その問題群には二一世紀の今日に到っても、いまだ十分な解答が見えておりません。にもかかわらず、侵すべからざる個の自覚、およびそれと関連する自由・平等という価値は、必要な修正や保留は含みつつも、近代ヨーロッパが人類に差し出した将来にわたって不動の贈り物だったのです。たとえば中国共産党の指導者が劉暁波のノーベル賞受賞問題で、人権という西洋的価値は中国では通用しないなどと主張するのは、彼らがマルクス主義者ですらなく、ただ階級闘争と反植民地主義というマルクス主義的命題をかすめとったナショナリストであることを、自ら暴露しているにすぎないのです。

ヨーロッパ近代の人類への贈り物といえば、もうひとつ逃してはならぬものは近代科学とそれに関連するテクノロジーであります。もちろん近代科学はそのおそるべき成果とともに、憂慮すべき危険を人類にもたらしているわけでありますが、その点について今日は立ち入りません。しかし科学とテクノロジーを除外した人類の将来というのは想像もつかぬことでありまして、やはり私たちは近代科学とその所産の上に立って、これからの人間の生き方を考えてゆかねばなりません。近代科学が非西洋地域の人びとにとって、人類に光をもたらす福音のように受けとられたのは、事実に即した世界の探究、さらには人間自体の探究というものがもつ目のくらむような射程のゆえだったのではないでしょうか。もちろん非西洋地域にも人間や自然についての考察は存在しました。しかし、事実に則した論理的な探究がかくも広大な視野を拓くものであるとは、徳川期の日本人には想像もできなかったのではないでしょうか。彼らは蘭学という形で西洋の近代科学についてはかなり承知していて、それなりに心唆られていたのですが、単に自然についてではなく、社会についても人間についても、科学にインスパイアーされた探究が可能だと知ったのは、開国以後のことでした。西洋近代は何よりも知の領域において非西洋地域の人びとを魅了したといってよろしいでしょう。

特殊を通じた普遍の創造

西洋の生んだ近代文明は西洋という精神風土と歴史を踏まえて成立しているのですから、様々なバイアスを負っております。そのことごとくを人類の普遍、世界的普遍とみなすわけにはいかないのは当然です。しかし、人類的な普遍というものは、数学のような純粋な論理、透明で公正な、民族や地域の色のつかない、ということは特殊地域的な文化の特性をおびることのない世界市民的見地から生み出されるものではないのです。私は人類史は廻り持ちだと思うのです。農業や都市という人類普遍的価値は近東で生み出されました。哲学と悲劇と市民的徳性はギリシアの生んだものです。ホモサピエンスという生物の共有財産たる諸価値は、それぞれのバイアスをおびた地域的文明が廻り持ちで実現してきたのです。普遍が創造されたのは特殊を通じてであったのです。西洋が生んだ近代モデルは、ラトゥーシュのいうように（それはすでにポランニーが指摘したことでしたが）、たとえば経済の異常な肥大というバイアスを負っているのでしょう。しかし、そういうバイアスを通してしか実現されない普遍的価値というものもあるのです。西洋の精神的特性に対してアジアの精神的特性を対置するといった、大アジア主義者の誤りはそこにあるのです。問題はヨーロッパの近代モデルはそういう確かな人類的普遍を私たちに残してくれたのですし、そのことを確認することが今日非常に大切なのだと思います。

ラトゥーシュのいう経済の異常な肥大は、実はヨーロッパの地域的特性などではないのかも知れません。それは近代という様々なメリットをもつシステムに付随する欠陥にすぎないでしょう。経済成長しか目に入らなくて、フランスの大統領からトランジスタ・ラジオのセールスマンと揶揄された首相を戴いていたのは日本ではなかったのですか。上から下まで金儲けしか考えていないといわれるのは、今日の「共産」中国ではないのですか。安易に西洋文明とか東洋文明の特性を云々するのはデマゴギーに類すると思います。

話がどんどん拡がっていきそうなので、今日はもうこれくらいで打ち止めにしたいと思いますが、今日掲げた標題については、近代が西洋化として実現されたのは、考えようでは大変奇異なことではあるけれども、それにはそうなる必然性があったということ、しかし、近代がその行程を終えて未知の時間に突入しつつある今日では、西洋の廻り持ちの任務はもう終わったということ、西洋近代のもたらした遺産をしっかり受け継ぎながら、西洋化を超えた人類的普遍がそれぞれの地域で追求されるべきであること、まあそれぐらいの平凡な見通しを立てることで、今日はお茶を濁しておきます。

第三話　フランス革命再考——近代の幕はあがったのか

大佛次郎を読み直して

今日は会場が五高記念館になりました。五高時代にはこの建物は赤煉瓦と呼ばれておりました。私は昭和二三年に入学した最後の五高生でありまして、私どもの学年は折角入学したけれど、学制が変わったから、一年間ここで勉強して、あとは新制大学を受けなおしなさいというわけで、一年追い出され組と呼ばれているのですが、私どもが一年生のときは、この建物は三年生つまり最上級生が使っておりまして、私は一度もここで授業を受けたことがありません。そういう建物の一室でお話するというのも、何か感慨を覚えることであります。

さて、今日の論題ですが、いきなりフランス革命というのは、皆さん唐突な感じを抱かれたことだろうと思います。これには実はいきさつがありまして、今年（二〇一一年）大佛次郎賞というのをいただいたのですが、受賞者は横浜の開港記念会館で話をするならわしになっているというので、三月に『私の大佛次郎――大佛次郎のふたつの魂』というタイトルで講演をしたのです。あとから聞いたのでは、何も大佛さんについて語らなくても、自分の受賞作のことでも話しておけばよかったのだそうですが、私は馬鹿正直にも大佛さんを論じなければならぬものと思いこんで、著作をかなり読み返しました。

といっても、この方は厖大な小説を書いておられますし、それを読み直すなんて、とても出来はしない。結局、大佛さんがご自分で「社会講談」と称されたいくつかの作品を論じることになりました。この「社会講談」は全部で六篇ありますが、そのうち『詩人』と『地霊』はロシアの社会革命党、いわゆるエスエルのテロ活動をとりあげています。明治時代にロシア虚無党という名で紹介された爆弾闘争です。このふたつは話から除外しました。

私が取り上げたのは残り四つの作品で、いずれもフランス一九世紀の政治的事件を扱ったものです。まず、昭和初期に『ドレフュス事件』と『ブゥランジェ将軍の悲劇』が書かれています。ドレフュス事件はみなさんご存知でしょう。ブーランジェというのは、一八八〇年代に民衆に非常に人気があった将軍で、共和制議会への反対派にかつがれて、一時はクーデターが成功しそうな勢いであったのです。この二作をものした大佛さんの意図は明白で、当時は日本国家を乗っとって戦争に引っ張ってゆこうとする軍部の動きを、国民に対し警告なさろうとしたのです。つまり、このときの作者は反軍国主義、反国粋主義、世界市民主義の立場を擁護するものでした。

大佛さんは続いて『パナマ事件』を書くつもりだったのです。スエズ運河を開通させたレセップスという有名な人物がおりますね。彼は晩年になってパナマ地峡に運河を作る計画に乗り出すことになった。しかし、非常な難工事で資金が行き詰まり、社債発行の認可をえようとして、議会の議員たちに賄賂をばらまくことになります。それが表に出て一大疑獄事件となった。これが『パナマ事件』です。大佛さんは結局、この作品を書くことを見合わせました。というのは、これを書けば、ブーランジェ派のクーデターと闘った共和派の議員たちが、実は『パナマ事件』の収賄者であることが明らかになってしまうからです。大佛さんはこれはまずいと考えた。軍部に攻撃されて日本の議会政治が風前の灯の運命にある今日、さらには政友会、民政党の疑獄事件があい継ぐ現在、『パナマ事件』を書けば軍部にエールを送るようなものだというわけで、大佛さんはこの作品を書くのを戦後になるまで見送ったのです。

戦後『パナマ事件』を書いたとき、大佛さんはもう『ドレフュス事件』『ブゥランジェ将軍の悲劇』の作者、つまり議会制民主主義と国際主義の単純な擁護者ではありえませんでした。渡辺一民の『ドレーフュス事件』という著書には、パナマ事件の収賄者たちが、ドレフュス擁護派に流れこんで復権してゆく動きが指摘されていますが、大佛さんはそういうこともこの作品を書く中で感じられていたと思います。またひとつには、この人がすでに敗戦を経験していたことも忘れてはなりません。彼は熱烈に大東亜戦争を支持し、特攻隊を讃美した過去を持っておりました。つまり、ブーランジェストや反ドレフュス派の気持がわかるようになっていたのです。もはやフランス第三共和制は讃美し擁護すべきものではありませんでした。だから大作『パリ燃ゆ』が書かれたのです。いうまでもなく『パリ燃ゆ』は、第三共和制がパリ・コミューンの男女二万五千を虐殺した血の海の上に出現した事実を、微に入り細をうがって物語っております。

横浜では、そういった大佛さんの中での魂の分裂について話をしたのですが、その結果とんでもないことが私に起ってしまいました。フランス第三共和制の歴史、とくにパリ・コミューンとドレフュス事件をもっと調べたくなって本を買いこんだのです。ブランキの伝記を読む。シャルル・ペギーの著作集を揃える。モーリス・バレスのことが気になって、『自我礼賛』三部作と『デラシネ』を入手する。レオン・ドーデーのクレマンソー評伝を読む――とやっているうちに、どうしても、そもそもの出発点たるフランス革命が気になってくる。考えてみれば、フランス革命史は箕作元八(みつくりげんぱち)とミシュレくらいしか読んでいない。ソブールもマチエも持っているけれど、読まぬままになっている。フランス革命の解釈が、一九七〇年代以来、いわゆる修正派の登場によってまったく様変りしたのは、ブラニングの入門書で承知しているけれど、代表的な修正派たるフランソワ・フュレやリン・ハントの著作は本棚で埃りをかぶったままになっている。まったく今まで何をしていたのだろう。まずフランス革命を勉強しなくてはならない。むろん研究なんぞではなく、学部学生並みの勉強です。そして今日は、甚だ恐縮ながら、その俄か勉強の中間報告をやろうというのです。

私としては、今更フランス革命の勉強をしようなんて、夢想だにしていなかったのです。私はいま八〇歳であと何年生きられるかわからない。いま進行中の仕事がひとつ、これから書きたいと思う大きなテーマをふたつ抱えている。それだけでも、いつまで生きるつもりかと人に笑われる。そこに突如として、新しいテーマ、フランス第三共和制のドラマが出現した。困ったことであります。こんな予定はなかったのです。なるべく駈け足で通り抜けたい。しかし、この熊大で、近代の再検討というテーマで話をさせてもらっていることからすれば、近代の発端のひとつたるフランス革命の検討は避けて通れない課題なのかも知れません。しかし、フランス革命はほんとうに近代の発端だったのでしょうか。

フランス革命を問い直す

フランス革命を封建社会を徹底的に変革し、近代市民社会を実現した典型的なブルジョワ革命とみなす視点、それは国民主権の確立、市民ひとりひとりの人権と平等の確認を、フランス革命の成果に帰す見方と不可分でありますが、そういう視点は一九世紀の終りから二〇世紀初頭において、まずフランスの史学界で成立し、それがさらにロシア革命の経験によって強化され、神話化されて固定したものです。日本でも戦後、このような栄光にみちたフランス革命像が、大学研究者を中心に流布し定着したことは、今日ここにみえているご年輩の方々なら、よくご承知だと思います。

しかし、このような歴史の祭壇に祭りあげられたフランス革命像は、修正主義とのちに呼ばれることになる批判的学派が、一九七〇年代に擡頭したことによって大きく揺らぐことになりました。古典的な革命像への批判は、コバンという英国の歴史家が一九六〇年代の初めに開始したのですが、彼はブルジョワ革命といったって、革命家には典型的ブルジョワ、つまり資本家なんかいないという点を衝きました。修正派はまずアングロサクソン系の学者の中で優勢になり、八〇年代にはフランス本国に波及し、今日ではフランスでもジャーナリズムの大勢は修正派だそうです。むろん、東欧・ソ連における社会主義体制の崩壊が大きく影響しておりましょう。

日本ではマルクス主義が戦後、大学を制覇しましたから、修正派的見地になかなか抵抗があったようですが、今日ではかなり受け入れられているようです。しかし、それは学界のことで、一般にはまだ古典的フランス革命像が惰性的に通用しています。一例をあげますと、三年ほど前に出たある新書版の書物は「フランス革命は世界史の新しい時代を切り開いた輝かしい革命であり、フランス革命を抜きにして現代世界を考えることはできない」というふうに、まったくの古典的見解を堂々と述べ立てています。また参考文献の筆頭に桑原武夫編『フランス革命とナポレオン』を挙げております。この桑原さんの本は中央公論社から、昭和三〇年代に出て広く流布した『世界の歴史』の一巻なのですが、観点はもちろん、事実の叙述ぶりからして、すでに博物館行きのしろものなのです。

今回の私の話はレヴィジョニストが展開した論点のいくつかを私なりに皆様にお伝えし、併せて私の考えをいくらかつけ加えるものになりましょう。フランス革命のみならず、一九世紀に展開した様々な社会変動、それに伴って出現した運動や思想の一切は、今日われわれが遭遇している終末論的様相、逆にみれば未来のテクノ・ユートピア的様相から解釈し直されねばならぬと、私が考えていることもこの際つけ加えておきます。

アンシアン・レジームの特徴

さて、フランス革命はそれ以前の旧体制、いわゆるアンシアン・レジームを打倒したと考えられているのですから、それがどういうものであったかということをまずおさえておかねばなりません。これはフランスだけのことではありませんが、王政というものは貴族の頑強な抵抗を打ち破って伸長してきたのだということを確認しておく必要があります。これはイギリスにおけるマグナ・カルタの成立事情ひとつとっても明らかなことで、貴族はあらゆる機会をとらえて絶対化しようとする王権に抵抗してきたのです。デモクラシーはまず貴族の王権に対する制限の試みから始まったのであって、ゲルツェンもキエフ時代の貴族支配をもって、ロシアにおける民主主義発達の起源としております。

フランスの貴族が王権に対していかに独立自尊の立場を貫こうとしたかということは、一六世紀後半における宗教的対立に発する内乱をみても明らかです。これはカルヴァンの流れを汲むフランスの新教徒すなわちユグノーが、伝統的にカトリック国家であるフランスにおいて自己の信仰の自由を確立しようとして、カトリック貴族の連合すなわちリーグと戦ったのでありまして、ユグノー戦争と呼ばれるこの内戦は、実に第八次まで戦われました。その間王権は両者の間で振り廻され続けたわけです。パリ市民は頑強なリーグ派でありまして、アンリ三世がリーグ派に暗殺されてヴァロワ家の血統が断絶し、筆頭親王家ブルボン家の当主として、ユグノー派のアンリ四世が即位しても、パリ市民は頑としてその即位を認めず、四年にわたって籠城戦を闘ったのであります。ちなみにパリに最初のバリケードが築かれたのも、第八次ユグノー戦争のさなか一五八八年のことでした。ご承知のように、アンリ四世はカトリックに改宗することによって、ついにカトリックとユグノー共通の王として認められたのです。

注目すべきなのは、この内乱のさなか、ユグノー派の中に暴君放伐論が生まれていることです。その骨子は、君主を選ぶのは人民であって、君主が暴君として振舞うなら、人民はそれを追放することができるというのであって、フランス革命の九三年憲法、かのジャコバン派がリードする国民公会が採択した憲法に明記された人民抵抗権は、サン・バルテルミーの虐殺直後に出たユグノー派の多数のパンフレットの中で完全に先取りされているのです。この一点をもってしても、フランス革命が初めて国民主権を確立したなどというのが、きわめて疑わしい神話であることがわかります。

絶対王政の時代

フランス王権が貴族の反抗を押さえこんで、絶対的な権威を振りかざすようになるのは、アンリ四世の子ルイ一三世の時、それもルイがリシュリューと組んで、母后マリ・ド・メディシスから自立したのちのことです。これがブルボン家の絶対王政なるものの始まりで、そのあとを継いだルイ一四世の時代に絶対的専制君主としての国王の地位が確立します。しかし、王権神授説にもとづく絶対主義、つまり王権の源泉は神にあり、従って一切の法は王の意志からのみ発するといったって、それは王権の方のいい分で、それで貴族がへへっとおそれいったわけではありません。あとでこそ、ヴェルサイユ宮殿に君臨するルイ一四世に、廷臣としてとりこまれてしまう貴族も、一四世が未成年でマザランに補佐されている間は何度も反乱を起しているのです。フロンドの乱と称されるその反乱は三次にわたり、五年間続いております。パリ市民はこのときも反乱の側に立って、一六四八年にはバリケードを築いているのです。

絶対王政といっても、王権はけっして専制的な権力を行使したのではありません。アンシアン・レジームの特徴は王権のもとに多種多様な中間団体、すなわち社団が存在したことにあります。貴族団体、教会、自治的な都市、村落共同体、職人ギルドなどいずれも社団でありまして、それぞれ王権から特権を認められている。この特権こそ自由なのであります。これはフランスのアンシアン・レジームばかりではなく、一七世紀のオランダ共和国でも認められている事実でありまして、ホイジンガは『レンブラントの世紀』において、当時のオランダでは自由は都市とその支配的上級市民の特権を意味したといっております。専制君主といわれるフランス王はこの社団の特権を侵害できない。侵害すると猛烈な抵抗が起るばかりではなく、王権自身が王国の統治をこの中間団体を介して実現できているからです。つまり中間団体の存在は、アンシアン・レジームにおいては王権が維持されてゆく条件なのです。

ところが、一方では王権は様々な理由、特に国際情勢に対応するために中央集権化を進めざるをえません。中央集権とは官僚制の整備と軍隊の常備化だとよくいわれますが、根本的にはフランスを中央から統制された均質な行政国家に変えてゆくことです。アンシアン・レジームのフランスは国境すらはっきりしておりません。様々な歴史的経緯から、国内に外国の飛び地があります。また地方は、フランス王権の支配下にはいった際の事情によって、多様な特権や慣習を認められておりまして、法律の面からしても多種多様な地方的慣習法が行われている。度量衡の統一もない。税制をみても、全国の統一的な税制が存在していない。間接税の大宗である塩税にしても、まったく免れている地方があり、軽い地方があり、重い地方があるといった有様です。軍隊も大隊長、中隊長は金でその地位を買った貴族将校が占めていて、自分の責任で兵隊を寄せ集める。だから観兵式がすむと、大隊、中隊には半分も兵隊がいなくなる。王政はこういった状態を何とかしなければならなかったのです。

フランスはルイ一四世時代から数々の戦争に関与し、その度に海外植民地を喪ってきたのですが、ルイ一五世のときに七年戦争にまきこまれて、見苦しい敗北を喫し、イギリスに世界覇権を決定的に奪われてしまいます。軍隊が前述した有様でありますからそれも仕方のないことだったのですが、一四世のときは何とか保たれていた国家的威信が、一五世のときに喪われてしまったことが、貴族やブルジョワのトラウマとなり、王制の権威が根底からゆらぐ原因のひとつになったといわれております。

王権はルイ一六世の即位以来、中央集権いや近代化の方向をはっきりとめざすことになります。テュルゴーを登用して財政改革を行おうとしたのも、その試みのひとつです。テュルゴーは重農主義者であり、自由経済の信奉者ですから、穀物取引の自由化やギルド廃止など、全国的な統一市場を創出しようと試みるのですが、各方面での抵抗にぶつかって挫折してしまいます。そのあとネッケル、カロンヌ、ブリエンヌと責任者の首をすげかえながら、断続的に改革の試みが行われます。これは直接的には財政の破産状態から脱出するための増税策です。というのはフランスはアメリカ独立戦争を支持して、イギリスと戦うのですが、そのために莫大なお金を費した。マリ・アントワネットが湯水のようにお金を使って贅沢したというけれど、対英戦争の戦費にくらべればそんなもののメじゃありません。しかし、ルイ一六世治下の改革策というのは、たんに増税策というだけではなく、根本的には中央政府に権力を集中し、中間団体を解体もしくは無力化して、フランスを均質的・統一的な行政国家に変えようとするものだったのです。そのためには貴族の封建的特権を制限したり、国王封印状による法に基づかない逮捕を廃止したり、言論・出版の自由を許したりと社会の近代化の方向へ歩み出していたのです。

しかし、王政側からの改革の試みは、貴族の反抗によって潰えました。パリ高等法院が彼らの砦であって、改革策はことごとく高等法院につぶされたのです。高等法院というのは聖王ルイ九世のときに、国王会議から分離して成立したもので、三審制の裁判所の最終裁判所でありますが、それだけではなく国王の立法権も制約するのです。つまり国王が立法しても、それが高等法院で登録されないと発効しないのです。もっとも親臨法廷といいまして、国王が法院に出廷して法の登録を命じると、それを拒否することはできません。しかし法院は国王に対して諫奏権をもっていまして、諫奏文の内容を公表して世論に大きな影響を与えることができます。この時代には都市にはサロンやカフェに集う人びとによって、公共的な議論が交わされる場、それをハーバーマスは公共圏といいますが、そういう世論の場が出来上っているのです。この高等法院は全国で一三あるのですが、パリのそれが最も管轄の範囲も広く権威を持っております。このパリ高等法院はつねに反王権的でありまして、フロンドの乱が始まったのもそれがマザランの専制に反抗ののろしをあげたのをきっかけにしております。

貴族の実情

ここで当時の貴族の実情について述べておかねばなりません。貴族には古くからの武家貴族（帯剣貴族）と新興の法服貴族とがあります。フランスには国政上の様々なポストを金銭で購入できる制度があります。これはひとつは財政上の措置でありまして、王権はのちになるほど収入を増やすためにやたらと名目的なポストを設けて売りに出します。第三身分のうちで財をなしたブルジョワが競ってこのポストを購入したのですが、ポストを購入して何代か保持すれば貴族の称号が与えられる。国王書記官といって購入したら即座に貴族になれるポストもあったのです。このようにして貴族身分（第二身分）を獲得したものを法服貴族といいます。高等法院こそ彼らの牙城であったのです。フランス革命の直前には全貴族の四分の一がこうした新興貴族であったといわれます。大体フランスの商業資本家・産業資本家には、収益をさらに企業活動に投入するのではなく、土地や家屋といった不動産に投資しようという性向が非常に強い。これはイタリアルネサンス期のメディチ家を始めとするイタリア商人もそうであったのですが、一五、六世紀にルネサンスの花を咲かせたイタリアやフランスが、その後産業の発展においてオランダ、イギリスの後塵を拝するに至ったのは、土地に投資して貴族に成り上ろうとする志向が非常に強かったからであります。

法服貴族に成り上ったブルジョワは旧来の大貴族（帯剣貴族）と通婚して次第に上級貴族へ上昇してゆきます。さらに注意しておくべきなのは、当時のフランスで先進的な工業を創業した者には、旧来の大貴族が多かったということです。つまり大貴族の一部は産業ブルジョワジー化しつつあったのです。このように旧来の大貴族と大ブルジョワジーは融合しておりますから、彼らの間には対立などは生じません。ブルジョワジーが封建制を打倒するなどという構図が生まれるはずがないのです。貴族へのドアは開かれていたから、ブルジョワジーには不満を抱く理由がなかったのです。もっとも、国政上のポストは無限ではないので、次第に購入しにくくなって、そこにストレスが生じたのだという論者もおります。

第一、この時期には封建的領主制は内実を失って過去の遺物になってしまっていたのです。いまさら打倒なんてする必要もありません。農民に対する領主の特権が残存していたとしても、それはとるに足りないものです。貢租（封建地代）にしても、農民にかかってくる様々な租税にさらに地代が追加されるといった程度のもので、貢租で喰っていくことのできる貴族なんて、この時代ひとりもおりませんでした。では農民は遺存するとるに足りぬ領主特権を、どうしてあのように憎んだのでしょうか。封建的領主制の盛期にあっては、貢租はずっと重かったのですが、それは領主による保護とひきかえなので農民は納得していたのです。しかし、今や農民を保護するのは王権であって、貴族領主ではありません。農民保護という存在理由が失われてしまってなお、領主的特権が残存しているものだから、それがささやかなものであっても癪（しゃく）の種となったのです。

古来の大貴族や法服貴族は今や大地主であります。彼らは行政機構に寄生したり、産業や金融に投資したりして莫大な利を得ています。しかし武家貴族の大半はわずかな領地とそこからあがるささやかな貢租に頼って生活せざるをえない。行政ポストを購入する金はないし、軍隊にはいって下級将校になるくらいのものです。貴族（第二身分）の過半数は百姓と変わらぬ生活水準で、しかもそのうち、貧農同様の暮らしをしている者も少なくなかったといわれています。そして、こういう貧乏な帯剣貴族ほど残存する特権に執着していたのです。

革命のはじまり

国王政府は財政赤字解決の切り札として税制改革を提案します。身分を問わず土地を対象とする新税を徴集するというものですが、これは従来課税を免れていた聖職者と貴族の特権を否定するわけですから、貴族の猛烈な反抗が始まりました。例によって先頭に立ったのは高等法院です。フランス革命は事実上この貴族の反抗から始まったのです。注目すべきなのは第三身分たる平民も、この時点では反抗に加わっていたことです。

これは実に逆説的な出来事です。身分を問わず国民平等に課税するというのは近代国家の原則です。それに対して聖職者・貴族が反対するのはともかく、第三身分が反対するというのは何事でしょうか。第一身分、第二身分、第三身分が口を合せて、新たな課税は国民の合意、すなわち全国三部会の合意を必要とすると言い立てるものですから、国王政府はやむなく同意して、一六一四年以来開かれることのなかった三部会を一七八九年に召集し、これが大革命の狂乱の幕を切って落とすことになりました。革命は実に貴族・聖職者が特権を手放すまいとして、国王政府の近代的政策を拒否したことから開始され、その進行によって貴族の多くは亡命し、教会財産は没収されることになったのですから、貴族・聖職者は自ら自分の首に斧を加えたことになります。あとになって、彼らがルイ一六世に泣き言を言ったとき、ルイは「三部会を開けと強制してやまなかったのは卿らではなかったのかな」と皮肉を返したと伝えられています。

貴族・聖職者の指導者たちが国王政府の近代的な性格をもつ改革に協力していれば、王政も次第に立憲化され、革命など起る余地はなかったはずです。三部会開催以前には、こういう漸進的な改革による近代化の途を選ぶ可能性は大いに残されておりました。近代化のためにはフランス革命のような狂乱は必要なかったのです。一九世紀においてもっとも経済成長が著しかったのはイギリスとプロシャです。両国とも封建的遺制を一掃することなく、つまりフランス革命のような過去との断絶を遂行することなく、王政下でフランスよりはるかに勝る経済成長をなしとげたのです。近代化を遂行するためには、王政を打倒する必要などありませんでした。革命によってフランスは二〇〇万の人命を喪いました。これは第一次大戦・第二次大戦のフランスの人命喪失を合計したものに匹敵します。産業の近代化の点も大いに遅れをとりました。フランスが産業を近代化して遅れを取り戻し始めるのはナポレオン三世の治下のことであります。

それにしても、第三身分たる平民はなぜ、貴族の反抗を支持したのでしょうか。国王政府が貴族の反抗を抑えつけて改革路線を貫くつもりなら、このとき第三身分と同盟すべきであったのです。このような王権と民衆の同盟を主張する論客はすでにおりました。ルイ一五世時代に大臣をつとめたアルジャンソン侯爵は世襲貴族を諸悪の根源と指弾し、彼らの妨害を排除するために王政は民主主義をとりいれ、人民と同盟すべきだと主張していたのです。王権によって保護された共和制とさえ彼は表現しています。しかし、平民は革命前夜には王政に対して失望するどころか反感を抱いておりました。それにはいろいろな理由がありましたが、ひとつには、当時はマリ・アントワネットに関わるポルノがかった中傷パンフレットが氾濫しておりました。アントワネットは連夜乱交パーティやレズ行為にふけっていて、ルイ一六世はコキュ、つまり寝とられ亭主だというのです。こういう悪意にみちた中傷文書の作者は、当時パリにごろごろしていた三文文士たちでした。民衆はそういう悪と堕落の象徴としての国王夫妻像を信じこんだのです。

そういったことはありますが、第三身分が最初貴族の反抗に同調したのにはそれなりの歴史的根拠があるのです。先にアンシアン・レジームの社会は多様な社団によって構成され、それぞれ特権を認められていて、その特権こそが守るべき自由なのだと申しました。特権は貴族・聖職者に与えられているだけではありません。職人ギルドや村落共同体、つまり民衆にも与えられているのです。ですから、貴族が王権の恣意に対しておのれの特権=自由を守ろうとするとき、平民は王権に対して自由を守るという一点で共感することになります。王政が国民平等の新税を提案するのだと説いても、それはアントワネットたちの無駄遣いの尻ぬぐいをするために、社団を無力化しようとするのだといったふうにしか受けとらない。つまり国王政府を進歩的、反抗する貴族・聖職者を反動的と見るのは一面的だということです。そもそも、貴族には免税特権を放棄したってかまわないと考えている者が少なくなかったのです。彼らの反抗は利己主義から出たというより、むしろ王権に対して自由を守る、プライドを守るという面が強かった。国王政府が志向する改革は中間団体を解体し、国民を個人の形にばらばらにして掌握しようとする方向性をもっています。また資本が活動するのに不都合な地域的特殊性や国内関税を一掃して、統一的な全国市場を形成しようとする方向を秘めています。ギルドに組織されている職人や共同体に包まれている民衆にとって、けっして歓迎できる動向ではありません。当時人びとは社団の一員として存在を保障されているのですから、その社団を近代化の障害として無力化しようとするのは国家による自由の侵害です。平民が前世紀以来、高等法院を代表とする貴族の反抗に同調して来たのはそのためです。

しかし三部会の召集過程、それには代表選挙も含まれますが、その過程で第三身分はついに高等法院が代表する貴族の反抗と手を切ります。もともと三部会は各身分の定員は同数、投票は部会別ですから、結局は第一、第二身分の部会の決議が通ることになる。第三身分は常に二対一で負けるのです。そこで第三身分の定員を倍とし、しかも審議投票を部会別ではなく合同して行なうことを、第三身分の代表たちは主張することになります。そうすると、第三身分は第一、第二身分の定員を併せたものと同数で、しかも第一、第二身分中に少数でも同調者を見込めますから、第三身分の主張が議決されることになります。ところが高等法院はこのような第三身分の主張に反対し、従来通りの定員と審議法による三部会を主張しました。高等法院は一転して民衆の罵声の的となるに至りました。

国民議会の成立

国王政府に反対する保守派貴族は、三部会召集をかちとることで専制に勝利したつもりだったかも知れませんが、これは実はパンドラの箱を開けること、己れの没落を自ら決定づけることでした。現実に出現した三部会はもはや王権や貴族がコントロールできるようなものではなくなっておりました。というのは第三身分はあくまで第一、第二身分が自分たちと合同して共同審議を行なうことを要求し、それが容れられないと知るや、自らを国民議会と宣言したからです。シエース(シエースは日本ではシエイエスと表記されることが多いのですが、当時はシエースと本人も発音していたそうです)がいうように、これまでゼロだった第三身分はいまやすべてになったわけです。聖職者の大多数がこれに合流します。というのは第一身分部会の大多数は村の司祭たちで、彼らは貧農同様の貧しい生活をしておりますから、第三身分が自ら称する「国民」に合流することに何ら抵抗がなかった。ミラボー、ラファイエットなど貴族部会の一部が国民議会に合流するに及んで遂に大勢は決し、ルイ一六世は残りの聖職者・貴族にも、国民議会に合流するよう命じました。伝統ある国王諮問機関たる全国三部会は、大化けに化けて憲法制定国民会議へと変身したわけです。

しかし、この時点で王政を廃して共和制を樹立しようとする者は誰もおりませんでした。このの ち成立することになる九一年憲法は国王の権限を明白に定めております。すなわち国王は議会の立法に対して期間限定つきではあるが拒否権を持ち、宣戦の発議権も認められているのです。しかも行政権は国王に帰属するところで、王は大臣を選任し自らの政府を組織するのです。国民議会の議員は大臣になることはできません。つまり国民議会の指導者たちは議院内閣制を拒否したのです。自ら立法はするが、法の実行は国王政府にやらせるというのです。大臣になるのは国王の吏僚となることだから、それには抵抗があったのです。フランス革命の理屈への子どもっぽいこだわりは、イギリスにおける議院内閣制と政党の形成に較べれば、まことに特徴的といわねばなりません。フランスでは大革命終結に至るまで、遂に政党の形成はなされませんでした。

フランス革命がまず実現しようとしたのは立憲王政であったのです。国民議会に完全に制約された王政であれば、それで結構だったのです。この時期の代表的な議会指導者バルナーヴは、すでに革命の終了を宣言しております。国民議会は八月四日、熱に浮かされたようにして、貴族の特権をはじめとして社団の特権を次々と廃止する決議を行ないます。大貴族自身が登壇して特権放棄を宣言するといった熱狂ぶりだったのです。つまり、中間団体排除という「絶対」王政の悲願を実現したのは実に革命であったのです。トクヴィルがアンシアン・レジームと革命体制の連続性を主張したのは、このような事実をおさえてのことでありました。このように中間団体が廃止されることによって、国民はひとりひとりの市民として直接国家権力と向き合うことになります。法の前に平等とはこのことを意味したのです。都市の民衆の主要部分たる職人はギルドの保護を失い、農民は共同体という防壁を失うことになりました。

過激化の要因

しかし、大革命はまだ序の口であります。この後の経過は複雑を極めておりまして、今日はその概略でさえお話しすることはできません。しかし、その進行が結局、共和制宣言、国王処刑、対外戦争への突入、そしてロベスピエールの恐怖政治、さらに一転してテルミドール反動となったことはあらましご承知であろうかと思います。一言でいえば事態の進行は過激化の一途をたどったのでありますが、それには様々な偶然が作用しております。いくつかの偶然の組み合わせがなかったならば、革命がこのように過激化することはなかったのかも知れません。しかしそこに一種の必然性があったとすれば、それはふたつの要因が作用していると思います。それがまたフランス革命の重要な特徴をなしております。

ひとつは民衆、とくにパリの民衆の下からの突き上げです。議会指導者がある時点で事態を鎮静させ安定させようとしても、その度に民衆が暴動を起こして、先へ先へと進ませようとするのです。すでに革命第一年に、バスチーユ攻撃やヴェルサイユ進撃といった大衆行動が起こります。そのあとも、節目節目で群衆が街頭に出て騒乱をくりひろげ、それが革命の新段階を開いてゆくのです。この民衆蜂起についてまず申しあげるべきなのは、それが血なまぐさい暴力を随伴していることです。必要もない流血が行われます。革命が総裁政府のもとで一応終熄した時期に、共産主義的革命を企らんで処刑されたバブーフは、七月一四日のバスチーユ襲撃を目撃して、その無益な惨虐行為に嫌悪を覚えたことを妻に手紙で書き送っています。

これはひとつには、暴動が一種のカーニヴァルであったことと関連します。民衆反乱は伝統的に祝祭、とくに秩序を逆転するカーニヴァルの様相をもっていたわけですが、そういう伝統がフランス革命においても出現した。カーニヴァルとは乞食を王に選んでロバにうしろ向きに乗せて街中を練り歩くといったことが行われるわけですからね。しかし、フランス革命の場合、煽動者がいたことを忘れてはなりません。それは文士や法曹家として一旗あげるのを夢みてパリに出て来て、挫折したあげく不平不満にみちみちた三文ジャーナリストのたぐいです。パリ民衆の街頭行動はこうした巷の革命家によって組織され、それが議会への圧力となったのです。

しかし、民衆はこうした煽動家によって使嗾（しそう）されたとしても、彼ら本来の要求はあったのです。パリの場合、民衆は街区という小宇宙の中で相互扶助の親密な生活を送っております。その世界の平和と友愛を守ることこそ彼らの願いです。もちろん喰ってゆけることが最も肝心です。彼らが蜂起するのは、こういう自律的な民衆世界を喰い物にする大貴族大ブルジョワ、とくに悪徳商人の懲罰を求めてのことです。つまり、彼らにとって王とは民衆の保護者であって、民衆を苦しめる者がいれば民衆に代ってそれを懲罰するものなのです。王とは人民を保護する古きよき法の体現者であるべきなのです。そして、もし王がその責務を果さないのなら、そういう王は追放せねばなりません。こういった考え方は近代以前のヨーロッパに広く行きわたっておりまして、これを歴史家はモラル・エコノミーと呼んでおります。これがやがて到来すべき資本制社会への抵抗、つまり反近代の運動であることは明白でしょう。フランス革命を動かした根底の動力が、こうした反近代的性格のものであったことは注目すべき事実であります。民衆運動をどう理解するかということは、フランス革命を解釈する上で非常に重要でもあり、また非常にむずかしい論点であります。実態を解明する史料が乏しいということもあります。ただ、それを単純に民主主義をめざす運動とみなすことだけは、今日では困難でありましょう。

第二の要因というのは革命の遂行者たちの独特な性格であります。出自をみると、彼らはかなり多様です。貴族や聖職者の中からも革命家が出ております。一番多いのは法曹関係、つまり法律を扱う吏僚とか弁護士です。またジャーナリスト、文士、役者など、階級脱落的なあぶれ者もかなりおります。いないのはブルジョワジーです。ブルジョワという言葉はフランスの当時では都市平民といった意味であったそうですが、マルクス主義的タームにおけるブルジョワジー、つまり産業資本家はほとんどおりません。ですから、マルクス主義史学のいうようなブルジョワ革命の規定は神話にすぎないのです。法曹家たちを中流ブルジョワとみなそうとしても無意味です。ロベスピエールやマラーはいかなる意味においてもブルジョワジーではありません。第一、フランスにおいて資本主義社会が成立するのは、革命のずっとずっとあとなのです。共和制という点でも革命のあとにはナポレオンの帝政、ブルボン家の復古王政、オルレアン家の七月王政、そのあと短い第二共和制につづいて第二帝政が成立します。議会主義共和制が安定するのはやっと一九世紀末なのです。また社会体制にしても、一九世紀中フランスを支配するのは、大地主化したかつての貴族を中心とする名士層で、実体は革命前と変わっていないのです。農村も同様でありまして、農村に近代的社会変動が生じるのは一九世紀末であります。商業資本家、金融資本家は革命前に貴族に成り上っていたのでありますし、革命後支配者となったのは彼らだったのであります。

フランス革命の遂行者たちは階級的利害など代表してはいないのです。彼らを動かしていたのは歴史上初めて生じた理性による人類改造の理念なのです。修正派がフランス革命の本質は近代社会を生み出したことではなく、新しい政治文化を生んだことにあると主張するのは、この点に関わっております。フランス革命の革命家たちにも多様なイデオロギー、多様な立場がありますが、一応支配的であったのは、過去は迷信と虚偽と悪徳の支配する暗黒であって、革命はその過去を一掃し、理性の光によって人間が光被される新しい社会を創造するのだという信念です。そのもっとも昂進した理念はロベスピエールとサン・ジュストという恐怖政治家に見出されます。新しい社会の創造は新しい市民の誕生によってしか保証されません。

「新しい人間」から恐怖政治へ

この新しい市民とは、ロベスピエールの場合、共和主義という新しい徳性の持ち主ということになります。つまり一切の利己心を否定してすべてを公共善の実現のために献身するのが市民の徳性でなければならないのです。ロベスピエールだけではありませんが、この当時、古代ローマ時代の共和主義者が革命家の模範とみなされています。彼らは共和制ローマをユートピア化したのです。これはむろん、アンシアン・レジーム期のラテン語を含む古典教育によって培われたものです。この点をとってもフランス革命に復古的な性格があったことは否定できません。しかし、そういった古代的範型の形をとって出現したのは新しい観念でありました。それは透明ということです。つまり新しい徳性を獲得した市民は、一切の利己心、悪徳から断ち切れておりますから、自分を一切さらけ出してひとつもやましいことはない。つまり国家に対して透明でなければならないのです。

これがルソーから来た考えかたであるのはいうまでもないでしょう。ルソーは『告白』の冒頭で、自分はこれまで人のやらなかったことをやる、つまり自分の生きて来た軌跡を一切包み隠さず告白すると言っています。というのはルソーには、人間が悪徳を犯したり堕落したりするのは、悪しき人為的制度に縛られているからだという考えがあったからです。そういった制度から自覚的に自己を解き放つなら、「私」というものはささいな悪行や見苦しい失敗はするだろうけれども、本質は善良にして純情なのだ。だから自分をさらけ出してもひとつもはずかしくはないのだ。これがルソーの理屈であります。人間は古き制度から解放されたら透明な存在になることができるのであって、これがまたロベスピエールの理念でもあったわけであります。

こういうロベスピエールの市民的徳性の理念が、いかに近代に逆行しているか、一目瞭然でありましょう。近代市民社会は個々人の利害、つまり利己心を肯定することから出発しております。個人の欲求は充足されねばならず、それが自由と平等の出発点となっております。むろん個的利害は相互に衝突する面がありますから、交渉・調停によって妥協せしめねばなりません。それを行なうのが議会と裁判所であります。近代社会は市民に利己心を去って透明な存在になれなどと要求はしていないのです。それはむしろ各自がプライヴァシーを有する不透明な存在であることを前提にしています。ロベスピエールの市民理念を実現するには強制手段が必要です。それが恐怖（テルール）であって、彼は恐怖なき徳は無力だと言っています。ロベスピエールの考え方に従うと、革命に中立で私生活を守りたいというだけの者も投獄され、断頭台に送られます。ダントンはそれに反対で、革命に熱心に参加しようとしない人々の人権を擁護したために殺されたのです。

ロベスピエールの市民的徳性の観念は、私たちに必ずある連想を誘うでしょう。二〇世紀にはいってザミャーチンの『われら』、オールダス・ハックスリの『すばらしい新世界』、オーウェルの『一九八四年』という三つのアンチ・ユートピア小説が生まれました。この三作に共通するのは未来のユートピア社会においては、成員が完全に監視のもとに置かれているということです。ロシア革命がこれらの小説そのままとはいわずとも、限りなくそれに近い監視社会を作り出したことは皆様ご承知の通りであります。

監視だけではありません。公共善をめざす利己心のない市民から成る新社会を創造するためには、どうしてもそういう市民になろうとしない者たちは抹殺されねばなりません。新しい人間になる素質のない者を排除することが必要なのです。ギロチンの活躍はかくしてロベスピエールが権力を握った時期に最高潮に達したのです。恐怖政治については、内外の反革命の圧力への対抗策として仕方なかったという弁護がむかしからありますが、それは成り立たない。テルールが最高潮に達したのは、ヴァンデ反乱を鎮圧し、対外戦争も勝利続きで、内外の圧力が大いに緩和された時期なんです。サン・ジュストは国王裁判の際、国王たること自体によって有罪だと主張して、議場を沈黙させました。つまりルイ一六世にどんな反革命的な罪状があるかなんて議論する必要はない。裁判すら必要でない。ルイは国王である以上、新しく生まれ変る社会ではアプリオリに犯罪者として抹殺さるべきなのです。このサン・ジュストの発言は、クラーク（富農）は何ら反革命的行為をしなくても、クラークたること自体によって抹殺の対象となるとするロシア共産党の論理と同一であることにご注意下さい。恐怖政治期には、共和国つまり新しい人間による社会を完成するには、国民の何割を殺さねばならぬかといったことが、冗談でなく論議されたのです。まさにカンボジアにおけるポルポトの所業の予告でなくて何でありましょうか。

連鎖する革命の負の遺産

フランス革命のどこに自由や人権の確立がありましょう。個人の自由と人権がまったく無視されたのがフランス革命の特徴です。それはロベスピエールが権力を握った時期のことばかりではありません。革命という至上命題、それには外国も含む反革命の陰謀という強迫観念が伴うのですが、そのためには自由や人権など二の次三の次だ、革命の利益にとっていつ無視してもかまわないというロシア革命、中国革命、キューバ革命の考え方は、マルクスの階級闘争観に由来するというより、むしろロベスピエール一派の論理を引き継ぐものです。この意味でフランス革命は先駆的であったのです。それのみならず、フランス革命は二〇世紀を特徴づけるジェノサイド、一定の人々を根絶やしにする大量虐殺という点でも先駆的なのです。

ブルターニュ半島のつけ根にヴァンデという地方があります。そこで一七九三年三月に共和国に対する反乱が始まりました。ことの起りは共和国政府が三〇万の徴兵を決定したことにあります。もともとこの地方は貧しい農村地帯で、村の司祭が大きな影響力を持っていたのです。この地方の司祭はほとんど非宣誓派の僧侶なのです。非宣誓派というのは、僧侶を国家公務員とする聖職者民事基本法への宣誓を拒否した僧侶のことです。ヴァンデの農民はもともと村の司祭が非宣誓派ということで迫害されていることに同情していた上に、都市から役人がやって来て兵隊を差し出せというのですから遂に反乱に立ち上った。この反乱はフランス史上たびたび起こっている農民反乱と性質をおなじくするものでありますけれど、革命政府はこれを反革命として、鎮圧のため軍隊を送ります。だがヴァンデの農民軍はなかなか強くて、政府軍をたびたび撃破しています。しかし遂に一二月になって敗北する。このときロベスピエールの公安委員会に宛てた手紙で、政府軍の将軍ヴェステルマンはこう述べています。

「共和国の市民諸兄、もはやヴァンデ軍は存在しません。彼らは婦女子と共に、われわれのサーベルの下で死にました。彼らをサヴィネの沼と森に埋めたばかりであります。委員会の命令に従って子供らを馬の蹄で踏み殺し、女は虐殺し、彼女らは少なくとも二度と野盗どもを産むことはありません。私を非難する囚人は一人たりともいません。皆殺しにしたからであります」。

ヴァンデ地方の村々はこの後も「地獄部隊」という名の掃討軍によって、徹底的に焼きつくされます。武器を手にしていない村人も殺されたのです。ヴェステルマンの言明にあるように、反徒は根絶やしにされました。ジェノサイドの思想と実行はすでにフランス革命の恐怖政治期に出現したのです。

ロシア革命における同様の階級敵絶滅策は、市民的自由や寛容、さらには人権の観念の乏しい後進国ロシアの伝統という負の要因から生まれたとよく説かれます。そうでしょうか。それはフランス革命のテロリズムが飛火し、受け継がれたのではないでしょうか。だとすると、近代を開いたというフランス革命はまさに神話ではありますまいか。近代的自由も人権も未成立の地平でフランス革命が生起したのは明白なことです。

ただし、それは事の一面に過ぎません。フランス革命には確かに近代的な一面があります。それは中央集権的行政国家、言い換えれば近代国民国家を創設したのです。ロベスピエールらモンターニュ派はことごとにフランスは一体不可分であると主張し、地域的多様性を均質化して、愛国的なフランス国民を教育によって生み出そうとしました。多種多様な方言が行われ、フランス語を話す人間が四人に一人しかいない現状に対して、聖職者上りの革命家グレゴワールは警告を発しています。ひとつの国語を話すひとつの国民を創出することが革命の緊急の課題だと彼らは気づいたのです。それはまた明治国家を創出したわが国の専制政治家たちが悟ったことでであります。この近代国民国家の創出という課題はナポレオンに引き継がれました。この限りで彼は革命の受託者であったのです。ただし彼が近代的国民を創り出したのは、教育によってではなく戦争によってでありました。

右翼・左翼を超えて

以上まことに不十分ながら、フランス革命が自由や平等や友愛の精神を人類史上はじめて掲げた近代の幕明けだという神話を、あらまし検討いたしました。最後に私の感懐をつけ加えておきます。革命を駆動したエートスを再考すると、過去を一切否定して、新しい人間にもとづく新しい社会を作ろうとする理念が、いかに危険な知識人の思い上りであるか、痛感しないわけにはゆきません。知識人政治、文人政治の倒錯といってもよろしいでしょう。しかし、知識人のみならず、民衆もまた心の奥深くで、すべてが新しく生まれ変る弥勒（みろく）の世を望んでいるのではありますまいか。このような夢の直接の実現を望むのではありません。しかし、そのような夢がなければ、この世にささやかなよきものをもたらす現実的な行動もまた生まれないのではないでしょうか。この点で私は若いころと同様、いまでも自分が左翼であることに苦笑します。今日において左翼とか右翼とかいうこと自体ナンセンスであることは、誰よりも承知しているつもりです。だが、若き日の自分を左翼であらしめた魂は死んではいないのです。人間なんてどう転んでも変りようはありません。しかし、ルソーじゃないが、生きる条件をよい方向へ変えることはできそうです。つねにこのような方向を志すことをやめたくない。そういう気持をいまあえて左翼と言ってみたのですが、右翼・左翼などという区分を突き抜けて、温故知新という気持で、これまでのこともこれからのことも考えてゆきたい。これがフランス革命を再考しての私の感懐であります。

近代市民社会は個別的利害がルールに従ってあい闘い、妥協する場だと先ほど申しあげましたが、ロベスピエールはそんな社会にたえられなかったのでしょう。彼はテルミドール九日に議場で敗れたとき、「悪人どもが勝った」と叫んだそうですが、利己心を克服した正義の人々のコミューンを求めるこの心情はいったい左翼なのでしょうか、右翼なのでしょうか。少なくともこれが近代の一面を忌避する心情であることは確かです。私はこの心情が幼いものだということに同意しますが、おとなの現実主義の奥底にこの幼い叫び声が、たとえかすかであっても鳴り続けていなければ、この世は闇だという気がしてなりません。

第四話　近代のふたつの呪い——近代とは何だったのか

近代の所産を問う

今日は絵描きのみなさんの前でお話をせねばならぬので、いささか戸惑っております。というのは、私は絵を観るのは好きですが、その審美眼たるやミーハークラスだからです。若いころ、絵を描く友人から画集を示され、どの絵がよいか言ってみろと試されて、ルノワールの絵の一枚を指したところ、お前はこの女の顔が好きなだけなんだ、絵のよさとは関係ないと切って捨てられて、なるほどと納得したことがあります。要するに私には造型という感覚がないんです。形とか空間に対する感覚が弱い。言葉のよし悪しはわかるんですが、形のよし悪しがわからない。

そんな私がここにまかり出ましたのは、板井栄雄さんのご依頼があったからです。板井さんとは一九六五年以来のつきあいで、一方的に私がお世話になって来ました。この人は戦後の芸術運動の文学・思想・美術の綜合という理念を、身をもって表しているようなところがあって、それで私ともつき合ってくださったのだと思います。依頼に当って板井さんは、絵の話はしないでよろしい、他の話をしてほしいと釘を刺されました。絵について格別の見識もない私であることを見抜いておられるのです。

そこで今日は「近代とは何だったのか」というタイトルでお話をさせていただく訳ですが、

実は去年（二〇一〇年）から、熊大大学院の社会文化科学研究科というところの客員教授なるものを仰せつかりまして、これは年に二回講義すればよいという気楽な仕事なのですが、そこで先方からの要望もあって、近代とは何かといったテーマですでに三回お話をしたのです。今日はそれを受けて、その締めくくりみたいな話をさせていただきます。

「近代とは何か」じゃなくて、「何だったのか」というのが私の話のミソです。つまり近代ったっていろいろな側面があり、定義しようがありましょうけれど、煎じ詰めれば私たちひとりひとりにとって、どういう事態の到来を意味したのかということです。近代が私たちにもたらしたのは、端的に言って何だったのかという問題です。

ふつうそれは人権・平等・自由という三点に要約されるのじゃないでしょうか。人権というのは法による以外、逮捕監禁されることはない、法によってしか裁かれず、拷問されることはないということを意味するわけでしょう。また、人には最低限でもメシを喰って生きてゆくことを保障される権利があるという、生存権も含意されているでしょう。平等とは身分や性別やエスニシティによる差別が撤廃され、機会がひとしく与えられるという事態を指します。自由というのは人権・平等という理念と深く結びついておりまして、社会を維持するための少数のルール、殺すなかれ、盗むなかれといったルールと、個人的な良心による規制以外、人は制約なく考え、その考えたところを表現し、また欲することをなすことができることを意味するのでありましょう。

人権・平等・自由という三大価値は、ふつう近代の名に結びつけられています。つまりこれが近代のもたらした人間への最大の贈り物という訳で、それは近代以前には存在しなかった、あるいは確立していなかったということが含意されています。私はある意味では、このような了解に賛成です。たしかにそれは近代がもたらした人間への贈り物だと思いますし、以前の話(第二話)でもその点を強調しておきました。しかしそれと同時に、それがかなり疑わしく、問題をはらんだ贈り物であるという思いを打ち消すことができません。さらに、人権・平等・自由についての配慮は人類の古代社会以来存在しており、ただ社会の組み立てが変るにつれて、形態が変化して来ただけではないのかと、私は疑わずにはおれないのです。

江戸時代の人権事情

たとえば江戸時代をとってみても、百姓は百姓なりに、町人は町人なりに法の保護のもとにあったので、けっして無法状態、無権利状態にさらされていたわけではありません。田中丘隅は享保のころの民政家でありますが、百姓というのは「すさまじきもの」で、何かにつけ公事・一揆を起すと言っています。「百姓の公事は、武士の軍戦なり。百姓は戦う事叶わざる故に、公所に出て命を諍う」というのです。公事とは裁判所へ出訴することです。寛政年間の世事を記録した『世事見聞録』には「江戸京大坂その外繁花の地の町人遊人等は居ながら公事出入をいたし、いささかの事をも奉行所へ持ち出して埒を明るなり」とあります。徳川中期には江戸には二百軒の公事宿があった。これは評定所に出訴した諸国の百姓が滞在する施設で、宿の主人は書類の作成から、助言にいたるまで代言人的役割を果したのです。ちょっとしたことを裁判に訴えるのを濫訴というのですが、幕府の役人はこの濫訴に音を上げたのです。天保年間には、子供の間で裁判ごっこがはやっていたそうです。

もちろん、今日のような弁護人制度はなく、拷問も一定の制限つきではあれ行われていたし、刑事事件における逮捕・取調べも今日のように法によって規制されていなかったわけですが、自己の権利の主張においては、徳川期の日本人は今日の日本人に決して劣るものではありませんでした。

また生存権について見ても、天皇が高殿から村々を眺めて「民のかまどは賑いにけり」と満足したという古代説話はともかくとして、徳川期の行政は幕府にせよ諸藩にせよ、領民の安全・福祉について決して無関心ではなかったのです。古川古松軒という旅行家がいて、肥後の阿蘇地方を通ったら、折しも飢饉のあとで白骨がごろごろしているのを見て、「名君の治」はウソだと書いておりまして、戦後の左翼史家たちは好んでこの一節を引用したものです。名君というのは、当時の肥後藩主細川重賢が名君と称されたことをいうのです。しかし、これは肥後のみならず、当時の社会構造では飢饉への対応が困難だったことを示すもので、行政当局は飢饉の際には炊き出しを行うなど、一定の対応を必ずとっているのです。

ですから、人権という点について近代になって初めて確立されたというのは間違いで、その時代時代に即した人権のとらえかたがあり、われわれがなじんでいる人権概念は近代特有のものだと考えるのが正しいのです。ただ私はこのことを、近代的人権の普遍的意義を否定するために言うのではありません。過去に対する一面的な思い上りをただしたいだけです。

前近代的自由の自由さ

次に自由について考えてみましょう。自由というのは人間の社会におけるありかたと深く結びついた概念です。ヨーロッパ中世の社会は村落共同体、都市共同体、教会といった中間団体によって構成されておりました。個人は直接国家と向きあっているのではなく、その中間に社団と称される様ざまな団体があり、個人はその一員たることによって特有の権利を保障されているのです。ですから中世人にとって自由とは、ある社団に属していてその特権を享有していることを意味しています。ホイジンガは一七世紀のオランダについて、自由とはおのれの属する団体が享受する特権のことだと言っています。人がこうした社団から追放されれ一人ぼっちのはぐれ者になりますと、その状態をフォーゲルフライ（鳥の自由）と呼びます。フォーゲルフライは保護を失ったおそるべき状態、狩り立てられ殺されても文句は言えない状態のことです。ですから自由とは、自分がある社団に属しているゆえに、他の社団に属している者の持たないものを持つことができる、あるいはすることのできないことをしてよろしいということなのです。

このような自由の観念はヨーロッパでは近世まで健在でしたし、わが国の江戸時代における人びとの自由もほぼこのようなものであったと考えられます。フランス革命は中間団体を絶滅することによって、個人が国家と直接向きあう、あるいは国家が個人ひとりひとりを直接掌握する事態を作り出しました。そうなると自由とは、個人が国家に対して防衛的に保有すべき自由な状態、あるいは行動を意味するものとなります。つまり近代的自由とは個人が所属すべき団体を失ったところに出現したわけで、この喪失を逆に獲得とみなす、つまり個人が共同団体の束縛から解放されたというふうにプラスに考えるようになったとき、今日の私たちの理解する個人の属性としての自由が成立したわけです。

今日の私たちから見ると、前近代的自由、つまりある社団に属することによって得られる自由とは、一面では大変窮屈な束縛を代償としているように思えます。しかし前近代社会はその点では巧妙なはけ口を用意しておりました。ヨーロッパ中世社会は巡礼・旅芸人・贋学生・乞食など厖大な人びとが遍歴し放浪する社会でありました。これは日本の徳川期も同様でありまして、当時の日本は寺社参詣や名所見物に出歩く人びととか、遍歴する旅商人・旅芸人であるとか、遊行する宗教者とか、これまた厖大な人びとが絶えず街道を往来する社会だったのです。これらの人びとは西洋でも日本でも、一時的に共同団体から離脱することによって自由な境涯を味わっていたわけで、そういう人びとは共同団体の規範に違反して流れ者となったフォーゲルフライとは違って、社会から遊行する者として一定の容認を受け、保護を受けておりました。これはお伊勢詣りという現象、とくに抜け詣りといって、たとえば店の丁稚(でっち)が主人の許しを受けずに勝手に伊勢詣りに出かける現象を見れば、その意味がよく了解されます。そういう抜け詣りに出かけた者たちは旅先で保護されますし、参詣を了えるともとの共同団体に復帰することができるのです。つまり前近代社会はこういった離脱の自由を制度的に保障する側面を持っておりました。前近代社会にはたしかに今日的な個人の自由はありませんが、今日とはまた性格の異なる独特なそれなりの自由が備わっていたことをご了解いただけたかと思います。

身分制社会における平等

さて次は平等という観念でありますが、これはまさに近代によって初めて実現された価値であるように考えられます。なぜなら近代以前の社会は洋の東西を問わず身分制社会であったからです。ただ身分制社会を極端に不平等な社会であるように考えると、近代をバランスを失って美化しすぎることにもなりかねません。身分間の平等を求める闘争は古代ギリシャ、古代ローマから存在しておりました。また現実社会の身分的不平等を補償するものとして、神の前の平等、仏の前の平等という観念も早くから出現しております。

江戸時代に即して身分制の内実を考えてみますと、いわゆる士農工商というのは社会における職業的な存在意義を言うもので、それぞれの身分が尊貴の別なく社会の存立に参与しているという観念を前提にしております。またこの通りの序列で尊貴が定められているわけでもありません。もちろん武士は支配階級として特別の地位を得ておりますけれども、これにはいくつか注意が必要な点があります。

武士は為政者という地位に就きうる唯一の身分であったわけですが、その身分は閉鎖されていたのではなく、他の身分から武士身分に転じて国事・藩事に関与する道が開かれておりました。たとえば一八世紀末に勘定奉行や江戸町奉行を勤めた根岸鎮衛の父は百姓で、御家人株を買って幕臣のはしくれとなったのですし、勝海舟の父の小吉は男谷家の出ですが、その由来を尋ねると、越後国の盲人だった男が江戸に出て検校となり、金貸しをして巨富を貯え、その末子の平蔵が三万両で旗本男谷家の養子の身分を買い、その平蔵の三男が小吉なわけです。つまり海舟の曾祖父は越後の百姓だったのです。こういった例は幕末になればなるほど多く見られます。つまり武士身分というのは箱のような容れもので、その中味は他身分から流入することができたのです。

さらに、武士は為政者つまり治者でありますから、他身分から一応尊敬はされますけれども、それでも一般庶民は武士に対してへへっとおそれ入っていたわけではなく、特に江戸の庶民には武士何するものぞという気概がみなぎっておりました。斬り捨て御免などとんでもないことであったのです。その点は『江戸という幻景』という拙著の中でかなりくわしく述べておきましたから、ご一見いただければ幸いです。侍の子が町人の悪童にいじめられた話など珍らしくもありません。また、対馬藩の藩主が供を連れて馬で田野を乗り廻したとき、川で遊んでいた子どもたちが藩主を見て「ぬしが殿様じゃったや」と叫んだので、藩主も供も大笑いしたという話もあります。

これは幕末から明治初年にかけて来日した西洋人の気づいたところですが、武士の間では上級者が下級者に非常に気を遣ったものでした。これは召使いや女中に対しても同様で、西洋人の主婦は日本人の召使いを使ってみて、彼らが主人の言う通りにしないのにほとほと手を焼いています。主従関係において従者に主導権があるらしいことに、西洋人はみな奇異の念を抱いたのです。

江戸時代に形式上の身分的差別が存在したことは言うまでもありません。近代になってそういう形式的身分的差別が撤廃されたのは大いに意義のあることです。しかし、実際その社会に住んでみて、江戸時代と現代のどちらがより不平等感の強い社会であるか、必ずしも容易にはきめられないのではありますまいか。今日、国会議員、県市会議員などの政治家、知事などの高級行政職、大学教授、医師、弁護士、会社経営者などは、江戸時代の侍とおなじ程度の尊敬を庶民から受けているのではないでしょうか。また会社にはいれば、それこそ上司との平等などありえないでしょう。私は新聞記者と一緒にタクシーに乗って、記者が運転手に「〜までやってくれ」といった物言いをするのに、冷汗が出るような思いをしたことがあります。これは明白な身分的不平等ではありますまいか。近代が実現したのは結果の平等じゃなく機会の平等だ、そしてそのことの意義が大きいのだとよく言われますが、近代社会がそれほど平等な社会であるかどうか、かなり疑問に思えないこともありません。それにもともと平等というのが、実際には現実化しえないかなり過激な理念であることも銘記すべきです。もっとも現実化の難しい過激な理念であるからこそ、それは人の心を魅してやまないのでしょう。

近代に見る人権・自由・平等

先にも断っておきましたが、私は、人権・自由・平等という観念を人間社会の根幹として近代が確立したことの意義を軽んじるものではありません。それはいずれも疑わしさを内包する理念ですが、にもかかわらずそれも普遍的価値として建て前にすることは、今日の社会の必須要件だと思います。というのは、人権という理念は文化によって異なると称して、一党独裁に反対する民主活動家の人権を徹底して抑圧する中国共産党の言い分など絶対に認めるべきではないからです。

人権・自由・平等という理念は民主主義という政治制度の根幹をなしています。民主主義というのも吟味すれば疑わしい点を多々含む一種のイデオロギー用語ですが、にもかかわらず、今日の時点で人間が唯一我慢できるものとしてはこれに替る政治制度は考えられません。民主主義とは、国民主権の制度的保証としての普通選挙にもとづく議会制度、さらに政治をつねに監視し批評する世論、このふたつの存在を前提とする政治制度のことでありましょうが、これは近代の生んだもう一つの政治制度、全体主義的独裁というまぎれもない悪を抑止するための最低の保障として意味があるのだと思います。民主主義が形式上保証されたからと言って、人びとの生活が安らかで幸せであり、人びとの生が充実したものでありうるような、社会の内実がそのまま保証されるわけではありません。ただ、全体主義的独裁の出現を抑止するというのは重大な機能です。なぜなら、それは個の生存を国家的計画のためにはいつでも抹殺する用意のある制度ですし、個の思考とその表現を抑圧する制度だからです。

民主主義社会の人権・自由・平等という理念は、そういう意味では、近代が人類に対してなした価値ある寄与だといえるでしょう。これらは一種の美辞麗句であり、その内実が問われずにはいないところでありますが、美辞麗句つまり建て前としての効力は決して否定してはならぬと思います。しかし、またしてもしかしです。話が堂々めぐりをするようですが、ひとりの人間の生涯の幸福なり充実という点からすれば、近代的な人権・自由・平等の理念よりも、近代はもっと実質的で大きな贈り物を人類にしているのではありますまいか。人権とか自由という点では人類の社会はその時代に応じてそれなりの対応をとって来ているのです。近代は人権と自由と平等を理念化したにもかかわらず、近代を開いたとされるフランス革命の時代ほど、人権と自由が抑圧された時期はありません。ナチス国家、日本軍国主義国家、ソ連以下の社会主義国家はいずれも近代の産物で、近代以前にはこのような人権と自由を徹底的に抑圧した社会制度は存在しなかったのです。ところがこれだけは人類に贈った近代の恩恵といえるものがただひとつあります。それは衣食住の豊かさであります。

これは熊大での講義で申し上げたことですが、アンガス・マディソンという経済学者によれば、人類の一人当たりGDPは西暦元年には四〇〇ドルで、これは一〇〇〇年まで変らず、一八二〇年になっても六〇〇ドルに達したにすぎませんでした。ところがそれ以降劇的な経済成長が実現し、二〇世紀末には六〇〇〇ドルを超えるに至ったとのことです。この数字は近代とは何であったか、まさに端的に物語るものであります。

衣食住向上の意義

現代の社会が過去のどの社会よりもすぐれている点といえば、衣食住における貧困を基本的に克服したことです。もちろんアフリカやアジアの一部において、また先進国内の局部において、いまだに貧困が解決すべき問題として残っているということはあります。しかし、それはいずれ解決を見るべき課題でありまして、近代がそれ以前の生活の貧しさを決定的に乗り越えた意義を損なうものではありません。近代以前の生活の衣食住における貧しさというのは、現代人にはもはや想像のつかぬものになっています。私たちの先祖のことをちょっと考えてみればよいのです。

一七世紀の初めまで生きた女性によって語られた『おあむ物語』という記録がありますが、その女性は若かりし頃を回想して、食事は朝夕の二回、それも雑炊ばかりたべていたと語っています。兄が山へ鉄砲打ちに行くときは朝食に菜飯を炊いたので、相伴できるのが楽しみで兄に鉄砲打ちに行くようにすすめたものだというのです。菜飯、つまり大根の葉などを炊きこんだ飯が無上の御馳走だったのです。また一三歳のころ「手作りの花染めの帷子（かたびら）一つ」しか持たず、それを一七歳のときまで着たので膝が出て困ったというのも哀れでもあり、おかしくもあります。彼女は貧しい農民の娘だったのではありません。れっきとした三百石の知行とりの娘だったのです。

ほんとうのゆたかさというのは物質的な次元では計れないという議論をする人がよくいて、

そのこと自体には正しさも含まれておりますけれども、衣食住のレベルが上ることは絶対的によいことです。本当に餓えたことのある者、零下二〇度の冬をストーヴなしにすごしたことのある者は、そのことをよく知っているはずです。貧しさというのは酷烈なものです。現世を捨ててその酷烈を選ぶ生きかたはありえますが、万人に強制できることではありません。

「おあむ」という女性は徳川時代の初めまで生きていて、今は実に贅沢な時代になったと感嘆しているわけです。「おあむ」の死んだあと百数十年もすれば、つまり一八世紀の末になれば、徳川社会もかなりゆたかになって、庶民の食生活に握り寿司とか天麩羅とかうなぎの蒲焼きとかが登場するようになります。この点を見ても徳川期というのは少なくとも後半は近代になりかけているといってよいでしょう。こういうふうに庶民の食生活がゆたかになるというのは絶対的な善です。もっとも徳川期は周期的な飢饉を克服することはできなかったのですけれど。

近代がもたらしたもっとも確からしい果実が衣食住のゆたかさだといえば、なんだか身も蓋もないように思えないこともありませんけれど、衣食足って礼節を知るというくらいですから、これは基本的に重要な事実なのです。しかし、この重大な達成の反面、人類はふたつの呪いを背負いこむことになりました。その呪いとはインターステイトシステムと世界の人工化であります。

インターステイトシステム

貧困の克服を可能ならしめたのはフリーな市場経済の世界化です。社会が市場経済化するのは生活水準の向上、衣食住の向上の根本要件です。徳川期の社会がそれ以前にくらべて、かなりゆたかな衣食住を実現できたのは、少なくとも中期以降の市場経済の発達のおかげです。われわれの体験的事実から言っても、国民総生産とか経済成長といった言葉がメディア上で氾濫するようになったのは、高度成長が一段落して、衣食住のゆたかさが目に見えるようになった昭和四〇年代に入ってからです。株価が意識され話題になるのもおなじ頃からです。すなわち今日の衣食住の向上は、資本主義的な市場経済が社会を完全に掌握したことによるのです。今日ご来場いただいているのは割と年配の方々のようですが、あなた方の少年少女時代には、経済は企業幹部、あるいは関係省庁のお役人の関心事であり、一般庶民は漠然と景気のよしあしを話題にすることはあっても、今日のように経済をつねに意識したり話題にしたりすることはなかったでしょう。株をやる人は何か特殊な人で、株で財産をスッたなんて話があって手を出すのがこわいものでした。ところが今日ではテレビのニュースの終わりには必ず株価と円相場の数字が出ます。これもそんなに昔からあったことではありません。

このように私たちの生活は今日まったく経済によって支配されているのですが、問題は一国の経済がそれ自体で完結せずに、世界と連動していることにあります。つまり今日の私たちは単に国内の経済がうまく行っているかどうかだけではなく、世界の中で日本経済がどういう地位を占めているか、一喜一憂するような心理を強いられているのです。世界経済において日本の地位が上昇することが即生活がよくなることですし、その地位が低下することが即生活が悪化することだと感じられております。むろんそれはそう感じられるという心理面のことだけでなく、事実においても、世界的な経済競争にうち勝たねば、今日享受している生活水準を維持できないわけで、このような世界経済における優勝劣敗のプレッシャーは、今日すべての日本人の心に深く刻みこまれていると思います。

私は車の免許を持たぬのでタクシーをよく利用しますが、ほとんどの運転手は景気の悪さをこぼします。一〇年ほど前のことですが、毎晩利用するタクシー運転手の中にひとり、このままじゃ革命が起こりますよというのが口癖の人がいて、この人の車に乗って夜の街を走るのは不気味でした。世界経済の中での日本経済のパフォーマンスは、このように庶民の生活の気分に直結するようになっているのです。

問題の核心は世界経済を構成するユニットが、それぞれのネイション・ステートだということにあります。世界経済とは各個のネイション・ステートが地位の高低を激しく争う舞台なのです。その競争にうち勝つことが国民生活の水準を高く維持することであり、もし敗れれば国民生活は経済的に混乱し破綻し、生活水準の悪化を招くことになります。このように世界経済がネイション・ステート間の熾烈な競争としていとなまれるありかたをインターステイトシステムと呼びます。

もちろん民族国家を超克する方途として、世界政府というシステムが提唱されたのは昨今のことではありません。しかしネイション・ステートという人類社会のユニットは、どうしようもなく鞏固な基礎の上に立っておりますので、そのユニットを解体する途は今のところ見出すことができぬ現状です。その現状への処方箋として、国連以下様ざまな国際協調の機関があり、また国際会議も頻繁に開催されるわけですし、経済摩擦、経済戦争が武力衝突、実際の戦争にまで昂進するのを避ける努力は絶えずなされているのですが、少なくとも世界経済がぼやぼやしていたら隅っこに蹴りやられるようなきびしい舞台である現実は、当分変りようがないものと思われます。

資本主義的世界経済がこのようなネイション・ステート間のせり合いの場であるというのは、実は資本主義的世界経済が成立する最初からの性格なのです。ウォーラーステインは、『近代世界システム』という画期的な著作で、資本主義は最初から世界システムとして誕生し、世界をつねに中心と周辺に編成してゆくことによって成長したと論じました。その中心といい周辺といい、実質は民族国家群であるわけで、中心＝周辺構造は具体的にはスペイン→オランダ→イギリスというヘゲモニー国家の変遷を生み出したわけです。今日、最後のヘゲモニー国家であったアメリカの衰退は覆いがたく、ウォーラーステインのいう中心＝周辺構造もかなり不透明なものになっておりますが、世界経済における各々のネイション・ステートの地位競争は激化し深刻化する一途で、そのことがナショナリズムという一時期は効験を失ったかのようだった政治的エネルギーが、あたかも復活しつつあるような状況を生み出しています。

すなわちわれわれは資本主義的な市場経済の進展によって、人類史上初めて衣食住のレベルでの生活のゆたかさを獲得したのですが、そのレベルを維持・拡充してゆこうとすれば、インターステイトシステムにからめとられて、民族国家の枠組をますます強化してゆくことになります。これが私のいう近代の呪いの第一であります。

世界の人工化

ふたつ目の呪いというべき世界の人工化に話を移しましょう。生活のゆたかさの実現はまず衣の領域で始まりました。経済のテイクオフ、つまり大量生産・大量消費は紡績・織布といった機械制大工場システムによって開始され、さらに重工業、化学工業、情報産業の形成・展開によって加速されます。住の領域では鉄とガラスとコンクリートが革命をもたらしますし、食を支える農業においても化学工業のもたらした肥料が威力を発揮します。さらに交通・通信といった基礎構築を加えるなら、大量生産・大量消費によってもたらされた生活水準の向上は、すべて科学技術の進歩を動力としていることが了解されるでしょう。まあこれは陳腐な常識にすぎませんが、近代科学の成立と発展、その産業技術への適用なしには、近代における画期的・爆発的な経済成長、それにもとづく衣食住のゆたかさは存在しなかったことは明白です。

このプロセスは自然の資源化です。もちろん人類は自然という貯蔵庫から自分に必要なものを有効に取り出すことによって生存して来たのでして、その範囲内で自然の法則・理法を理解し、それをコントロールして来たわけです。しかし、近代以前の人間は、人間は自然という生命体のうちで、人間の分限ともいうべき謙虚なポジションを守って、他の生命たちと共存すべきものだという感覚をもっておりました。自然を人間によって気ままに収奪してよい資源とは考えておりませんでした。人間が自然からいろいろなものをいただいているとすれば、鳥だってけものだってそれぞれの取り分をいただいているわけですし、樹木や岩石や山河にさえ生命とそれに伴う人格を感じていたのですから、世界＝コスモスはそのうちの全存在がそれぞれ存在すべき根拠と権利をもつ棲み分けの世界と感じられていたのです。

ところが、近代科学はこういった世界＝コスモスを、人間が対象化すべき物質界に変えてしまいました。人間は精神として物質界＝世界の構造を究明し、それを人間＝精神の利益のために支配・収奪する存在とみなされることになりました。収奪といえば、人類は発生以来自然を収奪してきた面があります。農業の原始的形態である焼畑農業はまったくの収奪農業です。他の生物だって、それぞれに自然を収奪しているといえる面があります。しかし、その収奪は自然法則の解明に基づく徹底性を欠いておりますし、人間は人間、サルはサルの身体エネルギーの範囲を出ませんので、収奪しつつ自然と共存することが可能だったのです。ところが近代的科学技術は自然を加工し変形する方法と大規模なエネルギーを獲得しましたので、近代以前には考えられもしなかった徹底的な自然の収奪が可能になりました。

この近代科学とその産業技術への応用は、むろん近代ヨーロッパの産物でありますけれども、これには、人間のみを精神を備えた存在とみなし、他の存在は山川草木はもちろん、人間以外の生物も人間のために神が作ってくれた物質と観じるキリスト教的な精神＝物質の二元論、すなわち人間中心主義が前提として存在していたと考えられます。この人間中心主義は近代ヒューマニズムを生んだのですから、なかなか馬鹿にできないところがあります。しかし、それが一種異様な考え方であることは、幕末に横浜あたりで西洋人の宣教師から聖書を読まされた侍が「おう、おう、人間が草や木より尊いものであろうとは」と感嘆したというエピソードひとつとって明らかでしょう。

科学と科学技術の可能性

今日では、このような人間中心主義、人間の快楽・便宜・必要のためには、科学技術を駆使して自然から取り出せる限りのものを取り出してよいとする考え方は、もちろん非難・批判の集中砲火を浴びております。その批判を見ますと、このような野放図な自然収奪を続けていると、地球という生活環境が修復不可能なまで破壊されるということが骨子になっているようです。セルジュ・ラトゥーシュというフランスの脱経済成長主義の論客のことは、以前熊大での講義でも紹介しましたが、彼は「もし世界のすべての市民が平均的な米国人ないしヨーロッパ人のように消費すると、地球の物理的な限界は著しく飛び越されてしまうだろう」と言っています。つまり地球が三つも四つも必要になるというのです。またGNP成長率を三・五%にすれば、GNPは一世紀のうちに三一倍、二世紀のうちに九六一倍になると指摘しています。いずれも地球環境が耐えうる数値とは思われません。彼は現実的な最低限の対応として、一九六〇年の時点まで経済を縮小せよと提言しています。

このような環境破壊、人間が住めなくなる地球といった観点からする「社会の経済化」の批判には、大いに聴くべき点があるのはもちろんです。ただ、そこにはいくつかの問題点があるように思われます。もっともラトゥーシュは単にエコロジスト的な観点から、無限の経済成長という「幻想」を批判しているのではなく、所得と消費の拡大という点に人間の幸福を求めてゆく近代の価値観が、人間のもっと多元的な生き甲斐を見えなくしてしまう不毛さを衝いていることは、一応断っておかねばなりません。それにしても無限の経済成長が成立不可能な神話だという点については、異論もありうると思います。というのは科学と科学技術については、もっとポジティヴなとらえ方ができるかも知れないのです。

すなわち科学技術の発展による経済成長は、従来のような地球内の物質の濫費、エネルギーの濫費という形をとらずに、知識・情報を中心とするGNPの成長という新しい形をとることができるという主張を、よく吟味してみる必要があると思います。また科学技術というものも、従来のように強引な自然の加工、変形を志向するのではなく、もっと自然に即し、自然の生態を攪乱しないようなありかたに進化できるはずだという主張も、十分考慮に入れなければなりますまい。つまり私は科学と科学技術の将来の可能性を十分考慮してみたいのです。私はそのような技術の変化・進歩と、それにもとづく「環境にやさしい」経済成長のありかたを気楽に信じているわけではありません。ただその点では、そう主張する人びとの声をよく聴いてみなければならぬと思っているのです。

人間中心主義の帰結

私が今日のとめどもない経済成長志向に根本的な疑問を感じるのは、これまで述べてきたような地球環境の保全という観点からではありません。むろんそれも大切なことだと考えますが、それよりもっと切実な拒否感が私に巣喰っているのです。それは衣食住のゆたかさを無限に追求すること、経済の成長によってのみ可能となるそういう志向が、私たちの生きる世界＝コスモスをますます人工化してしまい、生ける実在としての世界＝コスモスを狭隘化してしまうという点です。

環境保全という問題意識は、やっぱり人間本位の考えを脱しておりません。人間が棲めなくなるから困るというのでは、人間中心主義に変わりはないのではないでしょうか。私はそうではなくて、人間がこのコスモスの中での正当なしかるべき地位を喪って、コスモスの中に宇宙基地のような人工空間を作って、その中で歓楽を尽くそうとする志向こそ、経済成長至上主義、社会の全面的な経済化の最も悪しき、最もおそるべき帰結だと思うのです。

経済成長の結果として、人間の便益というものが住生活、食生活、交通、通信、照明等のあらゆる面で最大限に追求可能になったということは、即人間が自然から切り離された人工的技術空間の中で暮らすことを意味します。これは一面ではまったくありがたい、便利なことではありますが、それはまた人間が自然との接触を失い、生命世界との交感を失い、人間に始まり人間に終わる人工世界の中で、コスモスにおける人間のポジションの感覚を喪失する不幸感にさいなまれることでもあります。

もっとも原始時代から、人間がここぞと思うところに一本の柱を建て周りに円を描いて、ここは人間の領域だよ、キツネの領域でもなければタヌキの領域でもないよと宣言することが、都市の始まりであり、文明の始まりでもありました。文明とは自然の中に人間の領域を確然と設定するということで、自然との一定の隔離を前提としております。しかし、近代の経済成長が出現せしめたような徹底的な人工空間のごときは、現代に至るまでは人間の知らなかったところでありまして、従来の都市文明はあらゆる面で自然の浸透を許すルーズな空間であったのです。それは徳川期の江戸という大都市の夜の闇の深さを考えてみても明らかです。またかのヴェルサイユ宮殿には便所が完備しておらず、貴婦人たちは裳をからげて野外で用を足していたことでも明らかです。

私たちの生活空間がいかに人工化しカプセル化しているかということは、商店街のアーケードを見ればわかります。あれは雨降りどきにはまったく便利なしろものでありますが、一方、その出現によって街から空が奪われてしまいました。風も失われました。街角というものは、その上に空が拡がり、雲が見え夕焼けが見え、時折風が吹き通るからこそ情趣があるのです。それに近頃では商店自体がチェーン店化したりすることもあって、なんだかピカピカ宇宙船の中みたいに輝き秩序化されていて、生活の匂いがしません。昔の繁華街は一軒一軒の店の間口がわりと狭くて、それぞれの店に個性があり、多様かつ雑然としていました。奥の方にはいつもおなじ禿頭の親父が座っていたりしました。それが賑わいであり、なつかしさであったのです。そういう昔の繁華街の画一化されぬ多様さは、今では京都に残っています。とても楽しく親しい感じのものでした。

商店街だけではなく、今日の都市はあまりに画然と整理されすぎています。その分親和感がなく、整然たる威容によって排除されているような感じがします。つまり人間にとっての便益とか安全とか清潔とかが極度に追求されると、都市空間はなんだか一個の機械のようになってしまうのです。ゆがみとか雑多さとかよごれとかが一切排除されて、SFの未来都市に段々似てくるのです。

空の雲の往来に飽くこともなく眺め入ったのは、いつのことだったでしょうか。夜空の星くずに見入って、人間の卑小さを感じたのはいつのことだったでしょうか。樹木と言葉を交わしたのはいつが最後だったでしょうか。われわれが自然と接触を断たれている有様はおどろくべきです。その一方、自然はホビー化して、金を出して味わうものになっています。アウトドア・ライフとか言って、スキーに出かけたり、山に登ったり、ヨットを走らせてみたり、渓谷釣りをしてみたり、自然はホビーの対象としてお金で買うものになっています。そんなことをしたって、自然＝コスモスの中に自分の生きる意味を位置づけることにはなりません。人間が自然と交感するというのは、山川草木を含めてあらゆる存在を生命とみなし、その中で生死する自分の運命を納得するということです。昔は、聖人賢人でなくとも、あらゆる凡人に出来たことでした。

　昔の人間は宗教的な行など、何か必要がなければ、山なんて登らなかったのです。山に登って自然を征服したなんて烏滸の沙汰です。西洋で、何か必要があって山に登るのではなく、山がそこにあるから登ったというのは、詩人のペトラルカが初めてだそうです。つまり近代的登山の始まりです。村人は彼の物好きに呆れたといいます。彼がアヴィニョンの教皇庁にいた頃だそうですから、一四世紀の出来事になりますね。つまりわれわれは自然との平常の交感を失ったからこそ、山を登山という行為の対象として発見したのです。その行為は人間を特別な存在として特化する性質のものです。

　世界の人工化ということはその根底に、この地球という実在を人間の便益のために存在する、つまり自然は人間にとっての資源であり、その意味で人間に所属する財産であるという感覚があるからこそ生じるのだと思います。そしてそういう感覚を普遍化したのが、人間を特別視して、人間の便益と快適を至上目的とばかり追求して来た近代だと思います。私が一面ではそういう近代ヒューマニズム、人間は経済的にゆたかになり、便利で安全で快適な生活を送る権利がある、それはどんな人間にも保障されねばならぬ目標であるという近代ヒューマニズムのもたらしたものを高く評価するものであることは、先に申し上げたとおりです。

しかし、そのように生活のゆたかさ、快適さ便利さの実現が、コスモスとしての世界、自然という実在との交感を絶ち切ってしまい、その結果、結局は死すべき運命にあるはかない人間存在を、コスモス＝自然という実在の中に謙虚に位置づける感覚を失わせてしまうことになったのを近代の呪いのひとつと思わずにはおれないのです。世界の人工化とは世界の無意味化でもあるのです。

これからの課題——呪われた時代を生き抜くために

私が今日申しあげたのは結局、自分の中にある近代へのアンビヴァレントな思いであるのかもしれません。生活のゆたかさ、快適さ、便利さが近代の最も疑いえない貢献だと申し上げたのを、近代とはそんなものしか実現しなかったのだよと聴きとることができましょうし、でも「そんなもの」が実は大切なのだよと聴きとることもできましょう。しかし、これからどう生きるか、どんな社会を望んでゆくかという点になると、やはり私の申しあげたふたつの呪い、民族国家の拘束力がますます強化されるという呪いと、世界の人工化がますます進むという呪いが、痛切な問題として残ると思います。私は世界がナショナリズムの方向へ再び向おうとするのが不愉快です。また、便器に近づくと蓋が自動的にあがるといった便益に意味があるとは思いません。私のいうふたつの呪いは、いずれもわれわれが消費生活のゆたかさ、生活の快適と便利を実現できたことの代償でもあるのです。

そう考えますと、これからの私たちの課題は明らかです。生活のゆたかさということの意味を新しくとらえ直し、経済成長がなければこの世は闇になるといった先入主から自由になる道を模索することがどうしても必要でしょう。市場というものの利点を生かしながら、市場によって生活が振り廻されることのない経済システムをどう構築するか、考えかつ試みなくてはならないでしょう。

しかし、それは脱経済成長論者がいうほど容易な道とは思われません。というのは、ふつうの人間にとって世の中で一番大切なのはどうやって喰ってゆくかということだからです。しかも、「喰ってゆく」ということの水準は昔よりずっとずっと上昇しているのです。一言でいうと、政府は人びとに働き口、ジョブを与えねばならないのです。それができない政府は選挙で失権するのです。政府じゃなくて、下の方から、つまり一般大衆の連帯から新たな生き方、喰い方を創り出すのだと言っても、それは小規模な試みとしては方々で成り立つでしょうが、大勢を制することは難しいでしょう。

いろいろと申しあげましたが、私が痛感しておりますのは、近代のもたらした寄与が呪いに転化するという一種のアイロニーです。そのアイロニーの中からどういう自覚が生まれてくるかは今後の問題だと思います。ただひとつ、ひとりの人間ってとても大事なものだけれど、人間という生物自体はそれほど偉いものじゃないということを悟るのが案外大事なのじゃないかと思います。人間は言葉をもつ点で動物とはまったく別な存在であるなんて主張することが一時期はやりましたけれども、最新の言語科学によれば、言語は人間の本能に埋めこまれた能力であって、鳥や昆虫がおどろくべき能力を本能として持っていることと本質上ひとつも変らないというのです。だとすると、人間の特権化は科学的にも成立しないことになりますね。とりとめのないような結末になりましたが、まあ、こんなところで今日の話は終わらせていただきます。

つけたり　大佛次郎のふたつの魂

私の大佛次郎

このたびの東北の大災害が起こりまして今日で三日目であります。お集まりの皆様も様々な被害や不自由をおなめになったことでありましょう。何よりもまずお見舞いと、にもかかわらずご参集くださったことへの御礼を申し上げます。

さて、演題を『私の大佛次郎』とさせてもらいましたが、実は私は大佛さんの著作を半分も読んでいないのです。特に小説は『乞食大将』しか読んでおりませんでした。これは後藤又兵衛を扱った作品で、なかなかよいものであった記憶があります。『鞍馬天狗』も映画しかみておりません。例のアラカンのもので、それも戦前の話です。今回大佛次郎賞をいただき、受賞者はこの開港記念会館で講演をするならわしだときかされて、これではならじと、小説をいくつか読んでみましたが、この方は膨大な数の小説を書いておられますから、とても追いつきません。

ですから、『私の大佛次郎』といっても、私にとっての大佛次郎とは、かの『ドレフュス事件』に始まり『パリ燃ゆ』で終るいわゆる「社会講談」、それに『天皇の世紀』の作者ということになります。この一連の著作は熱心に読みました。日本の小説家には、こういう系統の歴史物語を書いた人はいないのです。その意味で大佛次郎という文学者を私は尊敬すべき存在と思い、心ひそかにたいせつにしておりました。

しかし、今日の話では『天皇の世紀』には触れません。また、いわゆる「社会講談」のうち、『詩人』と『地霊』にも触れません。この二作はロシアの社会革命党（エスエル）のテロル活動を扱ったもので、『詩人』はカリャーエフのセルゲイ大公暗殺を描いておりまして、アルベール・カミュが『正義の人々』で描いたのとまったく同じ題材です。もちろん大佛さんの方が早い。昭和五年の作ですから。大佛さんは自分の作のほうが出来がよいとおっしゃっています。この方はてれもせずにこんなことをズバッと言える人でした。『地霊』は有名な二重スパイ、アゼーフを扱っておりまして、これも極めて興味ある作品です。

私が今日取りあげるのは、『ドレフュス事件』『ブゥランジェ将軍の悲劇』『パナマ事件』『パリ燃ゆ』の四作で、いずれもフランスの第三共和制に関わる物語です。なぜこの四作を取りあげるかは、話の中でご了解いただけると思います。

『ドレフュス事件』

『ドレフュス事件』は昭和五年、つまり私の生まれた年に『改造』に連載されたものです。

当時、国政に口を出し始めていた軍部への警戒と批判を動機にして書かれたのは、後年ご本人が述懐されている通りです。従って、はっきりとドレフュス擁護の立場、反軍、反国粋主義の立場で書かれている。ドレフュス事件は一九世紀末、フランスの国論を二分した大事件であります。当時の漫画がありますが、まずひとコマではテーブルを囲んで食事が始まろうとしていて、主人らしいのが「事件については語らないようにしよう」と言っています。次のコマは「そして彼らは語ってしまった」と説明があって、一座入り乱れての乱闘の情景になっています。つまり、ドレフュスが無実か有罪かをめぐって、ドレフュス派と反ドレフュス派がたんに言論の場だけではなく、街頭で武闘に及ぶような状況が出現したのです。

ドイツに軍事機密を売ったとされたドレフュス大尉の黒白ということなら、それだけのことですが、ドレフュスがユダヤ人であったところから、国際的人道派対民族派、反軍派対軍擁護派の対立となった。反ドレフュス派の作家モーリス・バレスが言うように、問題はもはやドレフュス個人の有罪・無罪を超えてしまったのです。この対立が進歩派と右翼反動派の対立といったふうに単純化できるものでなかったのは、熱烈なドレフュス派だったシャルル・ペギーが、事件の進展につれて懐疑に陥って行ったことひとつとっても明らかでありますが、『ドレフュス事件』を書かれた当時の大佛さんは、明確に進歩、理性、国際主義の立場から、反動、非理性、国粋主義と闘うドレフュス派に肩入れしておられます。つまり問題は単純明瞭だったのです。

『ブゥランジェ将軍の悲劇』

次に昭和一〇年にこれも『改造』にのった『ブゥランジェ将軍の悲劇』は、目にあまるようになった軍部の国政干与と、それを歓迎する国民の気分を批判する動機に貫かれているのは、前作『ドレフュス事件』同様ですが、ブーランジェ将軍の描き方に前作とはいささか異なるニュアンスがみられます。ブーランジェ将軍は、対独復讐、アルザス・ロレーヌの回復を叫び、第三共和制を転覆して独裁的指導体制を実現しようとする民族派、それに煽られた大衆によって、希望の星としてかつぎ出されたのですから、大佛さんからすれば紛れもない危険人物、議会制民主主義の敵です。そして、そのようなものとして描かれています。しかし、その一方大佛さんは、ブーランジェ将軍が圧倒的な人気を民衆にかちえたのは、たとえばストライキ鎮圧の出動を要請されたとき、「フランスの軍隊は労働者とパンをわかちあうのだ」と発言したような彼の民衆派的姿勢、王党派の将軍を軍から追放するといった共和主義的姿勢によるものであることをちゃんと書いておられます。また民衆の議会不信もちゃんと書いておられるのです。つまり、批判する立場には立っていても、ブーランジスムを一方的に断罪するという構えではないのです。ブーランジスムには左翼も参加したのであって、当時は右派としてブーランジスムを引っぱったジャーナリスト、ロシュフォールは、かつてのパリ・コミューンの闘士でニューカレドニアに流刑された人物です。

ブーランジェは共和制議会を倒して独裁権力を樹立するには、だいぶ器量の足りない人物で、結局大衆の期待を裏切ってしまいます。彼にとって一番大切なのは人妻のボヌマン夫人という恋人で、彼女が病死したのち墓前でピストル自殺をしてしまいました。彼を最初陸相に推したのはクレマンソーですが、彼は「ブーランジェは中尉として死んだ」と評したそうで、要するに政治家の器量はなかったというわけでしょう。でも、クーデタなんぞより恋しい女が大事というのも、なかなかよい選択ではありませんか。大佛さんはこのブーランジェの政治家らしからぬ純情可憐にかなり同情的なのです。

時間的な前後を申し上げますと、ブーランジェ事件は一八八〇年代の後半で、すぐ接続して九〇年代の初頭にパナマ事件が起こり、ドレフュス裁判が社会問題化するのは一八九八年です。大佛さんは『ブゥランジェ将軍の悲劇』のあと、続いて『パナマ事件』を書くおつもりだったのですが、当時の情勢からしてまずいということで断念され、実際に書かれたのは昭和三四年になってからでした。というのは、『パナマ事件』は第三共和制の議会の腐敗ぶりを示す出来事でありますから、そんな話を日本の議会政治が危機に陥っている昭和一〇年代に語るのは、軍部と右翼を利するようでまずいと判断されたのです。

『パナマ事件』から『パリ燃ゆ』へ

『パナマ事件』を書くことによって、大佛さんはブーランジストが倒そうとした第三共和制の議会の腐敗ぶりをつぶさに描き出すことになりました。否定的な対象として描いたブーランジスムに正当な根拠があることを語らねばならなかったのです。皮肉なことといわねばなりませんが、大佛さんの歴史認識はこうして単なる進歩派、人類普遍主義、合理主義から一歩、二歩と深まって行ったのです。

大佛さんはレセップスによるスエズ運河の開削から話を始めておられます。レセップスは第二帝政下で支配者層、ブルジョワジーにまで影響力をもったサン・シモン主義の信奉者なのですが、そのことには触れておられません。しかし、その巨大で魅力的な人格はみごとに描かれております。そのレセップスが老境にはいってパナマ運河の開削を請け負うことになるのですが、今度はうまく行かなかった。地形や風土の条件がスエズと全く違っていて、工事は困難を極めました。底なし沼に資金を投入するようなもので、会社は何度も社債を起債して資金を調達しようとする。そこでその認可をめぐってブローカーが暗躍し、巨額の賄賂が議員たちにばらまかれることになるのです。かくしてパナマ疑獄が発生したのですが、結局うやむやにもみ消されて、処罰された議員はたった一人という結果でした。かの共和派の闘将クレマンソーもこの疑獄にまきこまれております。パナマ運河はついに放棄されますが、のちに運河を完成させたアメリカの技師たちは、完成まであと一歩だったのに、なぜフランス人は放棄したのかと疑問を発しています。

このパナマ事件は、そのあとに起きたドレフュス事件にも影響を与えています。軍部によるデッチアゲがあれほど明らかであるのに、なぜドレフュス派を上廻るような勢いを反ドレフュス派がもちえたのか、今日のわれわれは疑わざるをえないのですが、ひとつには、ドレフュス擁護がかつてのパナマ事件の収賄者たちの復権運動のように国民に受けとられたということがあります。擁護派の有力者であるクレマンソーも、パナマ事件後の選挙で、事件への関与を疑われて落選しているのです。大佛さんは『ドレフュス事件』ではこういった事情に全く触れていないのですが、『パナマ事件』を書かれたときは、そういう錯綜した状況を理解されていたはずです。つまり『パナマ事件』を書くことによって、『ドレフュス事件』執筆時には全面的に、『ブゥランジェ将軍の悲劇』執筆時には全面的にではなくても基本的に擁護した第三共和制の理念、進歩主義、議会主義の理念を大佛さんはついに疑うに至ったのだと思います。ここから大作『パリ燃ゆ』までは一直線です。

『パリ燃ゆ』は昭和三六年から三九年にかけて書かれました。『パナマ事件』から二年後にとりかかり、完成に三年余りしかかかっていません。当時大佛さんは六〇代、実におそるべき精力であり集中です。これはパリ・コミューンの物語です。大佛さんはなぜパリ・コミューンに行き着かれたのでしょうか。これが『ドレフュス事件』『ブゥランジェ将軍の悲劇』『パナマ事件』と書き継いだフランス第三共和制の歴史の発端であったからです。第三共和制はパリの庶民たちがコミューンという形で希求した自分たちの社会の夢を圧殺することによって成立したのです。第三共和制の議会主義者たちは、パリ・コミューンを血の海に溺らせた虐殺者であります。三万のパリ市民を虐殺し、四万に及ぶ市民を投獄し、五千人をニューカレドニアに流刑することによって成立した、ブルジョワジーの私利私欲の世界が第三共和制だったのです。三万の死者のほとんどは、投降後銃殺されたのです。虐殺というゆえんです。大佛さんはこの事実に否応なく直面し、『ドレフュス事件』以来の単純な議会制民主主義の理念、進歩、理性、人類普遍の理念ではけっして割り切ることのできない歴史の深淵におりてゆこうとなさったのです。

パリ・コミューン――民衆の共同世界という夢

パリ・コミューンはナポレオン三世が普仏戦争においてドイツ軍の捕虜となり、第二帝政が崩壊することで出現したのですから、大佛さんはまずルイ・ナポレオンによるクーデタ、その結果としての帝政成立から語り始めておられます。また、普仏戦争に当たって、将軍たちや議会の大物たちがいかに厭戦気分に陥っていたか、いかに遮二無二講和を求めようとしたかということも、ガンベッタの抗戦継続の努力も含めて、丁寧に語っておられます。大佛さんはここで逆説に突き当たられたはずです。戦争なんてしないのが一番だし、万一始めちゃったら勝ち負けにこだわらず、一日も早く講和すべきだ、たとえ賠償を払っても領土を譲っても尊い国民の人命を救うべきだというのが、戦後民主主義の常識ですから、戦争の反省に立つ戦後日本人の一人として、大佛さんは戦闘をサボタージュする将軍たちや、一日も早くビスマルクと取引しようとする政治家たちを肯定しなければならないはずです。逆に、あくまで抗戦を続けようとするガンベッタやパリ市民を否定せねばならないはずです。ところが大佛さんはどうしてもそうできなかった。皇帝や大物政治家や将軍たちが、もう戦争やめたというのを祖国への裏切りと感じて、あくまでパリを守り抜こうとする市民たちに共感する心を抑えかねたのです。なぜなら、そのパリ市民の「愛国心」は、ブルジョワや貴族の支配を脱して、自分たちの共同世界を築こうとするパリ市民の希求と不可分であったからです。大佛さんはそういう民衆と心中する覚悟をなさったのだと思います。『パリ燃ゆ』において大佛さんは、ついに民衆の心の中にある古い伝統的な共同世界の夢を発見し、それに感応されたのだと思います。

パリ・コミューンは解釈が難しい歴史現象です。民衆はまず抗戦をサボタージュし放棄しようとする将軍たちブルジョワ政治家たちに反発し、あくまでドイツと戦えと言って立ち上がったのです。ですから、これは一面では愛国主義の発作です。つまり国民国家という装置にとりこまれてしまった民衆の姿です。しかし、それはきっかけであって、底から噴きあげて来た潮流は支配し搾取するもののいない、人みな兄弟という共同世界の夢でありました。支配層がパリから逃亡したものですから、あとには民衆が自主的に運営せねばならぬ世界が残った。この世界はひとつの祝祭であります。日常ではないハレの日々の顕現なのです。ですから、支配者が逃げたあとに取り残された民衆が、どういう日常生活、つまり社会の仕組みを作りあげてゆくかということは一切明白ではないのです。委員に選ばれたリーダーたちの中には社会主義者もいましたが、民衆は社会主義的な社会を実現するような意図も計画も持たなかったのです。民衆は支配者のいない祭りの日々に酔っていたのです。大佛さんはそういうカオスのような民衆の祝祭と連帯なさったのです。このカオスは右へも左へも行くのですが、本来は右でも左でもないのです。なぜそういうカオスに連帯なさったかといえば、何よりもそこに立ち現れる民衆の正直さ、けなげさ、さらに情熱に感動されたからでしょう。『パリ燃ゆ』はこの感動しか語っておりません。

あえて言えば、『パリ燃ゆ』は不細工な作品です。さっきから名を挙げている三作は、いずれも首尾整った仕上がりのよい作品でありますから、そういった姿形のよい作品として仕上げようとすれば、物語作家としてキャリア十分の作者は楽々と意図を果したはずです。大佛さんはまずそういう意図を放棄された。なぜかといえば、パリ・コミューンは一種のカオスであって、その実相に迫ろうとすれば、安易な整序を排してカオスの諸相をこれでもか、これでもかとぶちまけるほかないと覚悟なさったのだと思います。さらに大佛さんは議論はしないという方針を立てられた。事実をあたうかぎり提供する。意味づけはじぶんでやってくれとおっしゃっている。登場する人間を無名の者も含めて、できるだけ詳しく書く。どんな人間たちがコミューンというとんでもない企みに身を投じたのか。そこを読んでくれと思っておられたに違いない。この大長編の終りはブランキが獄中からクレマンソーへ送った手紙、それも雑誌連載のまるまる一回分は費やしたと思われる長文の手紙をそのままのせてある。読んで面白いものではけっしてない。その手紙をそのままのせてこれで話は終りだという。芸もへったくれもありゃしない。コミューンの思想的革新派を代表する一人であるブランキが、共和派左派のクレマンソーに何を託したのか、クレマンソーは果して依託に応えたのか、そういうことを暗示して作者は物語を終えたかったのかもしれない。それにしても練達の作家としては何という愛想のない終わりかたでありましょう。仕上がりなどどうでもよい、自分の知りえたすべてをこの作品にぶちこむのだという覚悟であります。

議論はしないと言って、それなら大佛さんは何をなさったか。コミューンに生きコミューンに死んだ人々の美しさ、純粋さだけを語られた。コミューンにはむろん醜い面、おろかな面もあった。しかし、美しいこと、純粋なものだけをこの人は語った。それは石牟礼道子さんが『苦海浄土』において水俣病被害者の美しい魂だけをえがいたと言って非難されたことを思い起こさせます。石牟礼さんは被害者たる漁民の醜い面は百も承知で、しかもそれを描かなかった。大佛さんも『パリ燃ゆ』においてそうなさった。批判は覚悟の上だったでしょう。大佛さんは日記で石牟礼さんの『苦海浄土』を賞賛され、石牟礼さんはずっとそのことを徳としてこられました。

大佛さんがブランキという陰謀的革命家のことにあれだけのページを費やされたのも、獄中で生涯の大半を過ごしたこの革命家の魂の純粋無垢さにうたれたからでしょう。コミューンのリーダーは現実的な革命家というより夢想家であった。ブランキはたまたま投獄されていて、コミューンの指導部に入らなかったのですが、革命を権力奪取のための軍事問題ととらえて、具体的に部隊作りをした人でした。第二帝政の末期にナポレオン三世の親族が事件を起こして、街頭に抗議する人びとが溢れるということがあったのですが、そのとき忽然として二〇〇〇名の部隊が街頭に出現して行進しました。ブランキが組織した部隊で、彼は歩道を歩きながら兵士を査閲していたのです。ブランキなんて死んだと思っていた人々は亡霊が現れたようなおどろきにうたれたと大佛さんは書いています。ブランキの暴力革命方式を好むような理由は大佛さんにはありません。ただ、彼の革命家としての純粋さ、理想への献身ぶりが好みに合ったのだと思います。

保守の情念への目覚め

パリの労働者には、いったんバリケードが築かれると、誰からも求められないのに、あたかも自明の義務のようにバリケードの守りにつき、そこで死んでゆく者たちがいると大佛さんは書いています。あきらかに感動なさっているのですが、それをパリ労働者の革命的伝統といったふうに観念化することはなさっていません。そういう言葉ではとらえられないものを感じておられたのです。こういう労働者あるいは民衆がブーランジスムに熱狂したり、反ドレフュス派としてゾラをリンチにかけようとした民衆と別人ではないということも、もう悟っておられたと思います。ハンナ・アーレントは、ドレフュス事件の際右翼に動員された群集はモッブであり、階級脱落者のよせ集めだといっています。しかし、右翼から動員されればモッブであり、左翼から動員されれば革命的な自覚した民衆だなんてナンセンスです。そんな区別は成り立ちません。民衆は外国人排斥とか反ユダヤ主義などというデマゴギーにも動員されますが、それは左翼のデマゴギーに動員されるのと本質的に何ら変るところはないのです。大佛さんが最後に見たのは、そんな民衆の姿ではありません。民衆はモッブにもなりうるでしょうが、仲間のために誰にも知られずひとりバリケードを守り死んでゆくのも民衆なのです。大佛さんはそういう民衆に心がふるえたのです。

つまり民衆は仲間との共同的な生活につながれて、そこでみちたりて生き死にする存在なのです。その共同の生活は慣習や伝統にかたどられ、土地に根ざしています。土地とは農地だけのことではありません。都市の庶民の生活区域は彼らが代々にわたって生きて来た痕跡が街並みの形で出現しているのです。それは土地に根ざしたものです。そういう土地に根ざした共同生活が、呼びもされぬのにバリケードの守りについて、ひとりで死んでゆく人びとを作るのです。大佛さんはそういう民衆像に到達されたのだと思います。民衆の愛国心とは実はこういう土地に根ざす共同への忠誠なのです。そのことを大佛さんは深く悟られたに違いありません。

進歩と伝統が共存する魂

そうすると、大佛次郎にはふたつの魂があることになります。大佛さんは一方では無類のハイカラでありました。小説の登場人物に、「きみ、コフィーをくれたまえ」と言わせる人です。コーヒーじゃなくて、コフィーですよ。キザの極みともいえます。そのハイカラを思想化すると、断乎たる進歩主義者、合理主義者、世界市民ということになります。この志向は一生変わらなかったように思われます。しかしその一方、伝統的な生活を生き、正直でつつましい庶民が大好きでした。日本の伝統文化の美しさ奥深さに魅せられた人でした。これを観念化すると伝統主義者、反合理主義者、愛郷者ということになります。

大佛さんのふたつの魂は『帰郷』という小説によく出ております。これは敗戦の翌年に書かれた作品で彼の代表作とされていますが、大佛さん自身はこれが代表作とされるのは不満で、『風船』の方がずっといいと言われています。それはともかくとして、これは大変コッテリとしたバタ臭い小説です。ちょっとフランスの風俗小説といった趣きもあります。主人公はかつて海軍将校で欧州で大使館づきの武官をしていたのですが、賭博にこって官金を使いこんでしまったのです。実は彼ひとりじゃなく仲間の将校たちがいたのですが、彼は一人で責任を取って免官になった。そういう男が戦争中、マレー半島のピナンで華僑にかくまわれて暮らしていたという設定です。このピナンやシンガポールの描写はエキゾティックでなかなかです。この男はヨーロッパ暮らしが長く、ヨーロッパ的個人主義が身についていて、日本人のベタベタした人間関係が大嫌いです。日本人のインテリによくあるタイプといってよいでしょう。酒が強く、バクチにも女にも強いというのだから、一種のヒーローで、実は大佛さんのかくありたい自画像のひとつかもしれません。

ところがこの男は、終戦になるとあれほど嫌いだという日本へ帰ってくるのです。そして京都という土地が大好きになって、神社仏閣の美しさ、つまり日本の伝統的な美のとりこになってしまうのです。この小説は作者自身がおっしゃっているように、あまりよい作品とは思えません。敗戦によるショックで、大佛さん自身の足許が定まっていないのです。ですが、そのこととは別に、あれほど日本が嫌いだと言っていた男が、帰国して古都の美のとりことなるとは何事ですか。小説としては納得できないところですが、ここにも大佛さんのふたつの魂が分裂した形で現れていると思います。

大佛さんは実は戦争中、熱烈な戦争協力者だったのです。特攻隊も本心から讃美されました。しかし、同じようなことは高村光太郎の場合にもあったわけで、いまそのことを問題にする気は私にはありません。『ドレフュス事件』や『ブゥランジェ将軍の悲劇』において、あれほど軍部に煽られた愛国主義の危険を警告した人がそうなるには、それなりのプロセスも根拠もあったと思うのですが、そのことにも今は立ち入りません。ただこの経験を通じて、大佛さんはたんなる国際主義的自由主義者というだけではない、もうひとつの自分を自覚されたはずです。戦後の仕事はこのふたつの魂を調和させる道をさぐるというモチーフに貫かれていたし、『パリ燃ゆ』もそのモチーフを深く内蔵しております。

大佛さんが自信作だとおっしゃっている『風船』という小説には、『パリ燃ゆ』を書かれた姿勢がよく表れています。これは昭和三〇年の作品です。主人公はカメラ会社を起こして成功した人物ですが、これに息子がいてバーの女を情人にしている。しかし、別な上海帰りの女歌手が出現して、息子はそちらに乗り替えて、バーの女は自殺してしまう。主人公は息子がこのことを何とも感じていないのにショックを受けるのです。「ボクのどこが悪いんですか」といったふうで、一人の女を死なせた罪悪感が全くない。母親、つまり主人公の妻も息子をかばう。結局、こんな新世代をわれわれは育ててしまったのだと感じて、主人公は深く絶望するのです。その結果、社長を辞任し、家屋敷は妻に与えて、ひとり京都へ引きこもってしまう。京都には若いころ下宿していた職人の家がある。つつましく、正直勤勉で、虚飾のない暮しがそこにある。主人公はそういう生活にひかれ、これまでの成功をすべて棄てて、そこへ帰ってゆくのです。これはまったく、『パリ燃ゆ』で描きだしたパリ庶民の世界とおなじなのです。

小説について触れたのでもうひとつ『幻燈』という昭和二二年の作品をあげておきます。これはとてもよい作品です。旗本の一家が横浜で暮していて、息子は英語塾に通っている。父親は碁を打つくらいで何もしない。息子も英語を習っているものの前途は塞がれている。生活のほうは叔父の援助に頼っている。この人は遊び人気質でウサギを飼っている。当時はウサギを飼うのが大流行で、珍しいのが生まれると大変な高値を呼んだのです。息子は結局英人ブラックの新聞社に雇われて、前途に光を見た思いになるのですが、維新革命の敗者である旗本の息子の前途に日本の将来を重ねるところに、敗戦を経た大佛さんの歴史観の深化が読みとれるのです。つまり進歩を代表する力が歴史の流れそのものではなくて、ふつう保守といわれるような力もまた歴史を形成する力なのだということを悟りえたからこそ、この小説が書かれたのです。この『幻燈』はバタ臭くなりがちな大佛さんの現代小説とちがって、おっとりした品のよい形に仕上がっていて、これが本当の大佛さんだという気がします。

大佛次郎作品の今日的意義

さて今日は、フランス風の進歩的世界市民的な自由主義者として出発した大佛次郎が、地域に根ざした民衆の共同生活にひかれて、伝統ないし保守の情念にめざめてゆく過程、そしてその両者の調和、統合を求めた最後の境地について、あくまで私個人の理解の範囲ではありますが、あらましのところをお話し申しあげました。最後にこれは今日は重大かつ喫緊のテーマとつながっていることを確認しておきたいと思います。それは今日のいわゆるグローバリズムとリージョナリズムの対立の問題であります。

グローバリズムとは史上何回も生じた世界の資本主義的市場社会化の波のことでありますが、近年のそれはその最大にして最後のものかも知れません。最後というのは世界の資本主義的市場化が完了すれば、あとに残るのは地球規模の均質的斉一的なモダンライフにほかならないからであります。この資本主義的市場社会化は史上初めて一般大衆の生活にゆたかさをもたらしたのでありますから、たんに否定的にとらえることはけっしてできません。これは人類にとって必要かつ必然なプロセスであったのです。しかし、この波は土地に根ざした人々の共同生活を根底から破壊する力を秘めております。その力の跳梁するままに任せるわけにはゆかないのです。このふたつの要素をどうにかして調和させ、統合する必要に私どもは迫られております。さすれば大佛次郎のふたつの魂はまさに今日的課題に通じることになります。今日、大佛さんのお仕事を顧みることの意義はそこにあると信じます。

あとがき

水野良美さんは熊本県松橋の出身、しかも熊本大学を出られた方で、平凡社に入社されたその年から私を訪ねて来られ、何か新書に書いてほしいとのことだった。といわれても、一冊新書を書きおろすような気力も時間もない上に、適切なテーマも思い浮かばず、もう三年も経ってしまったのである。熊本大学で三回話をしたものを中心に、何とか新書の形にまとめることになって、何よりもまず、何度も拙宅に足を運ばれた水野さんのご苦労にこれで応えられたかとほっとする思いだ。

熊大で三回話をしたのは、大学院社会文化科学研究科の科長、岩岡中正さんから、同大学の客員教授をせよと要請があったからだ。岩岡さんにはかねがねいろいろとお願いごとをしているので、今度はこちらがウンと言う順番である。岩岡さんは私に話をさせるために、客員教授という名目を借りられたらしい。近代について話せということだったので、三回そんな話をした。そのうち熊本県美術家連盟から板井栄雄さんを通して講演依頼があり、これも相手が板井さんとあればウンと言わざるを得ず、折角の機会だから熊大での話の締めくくりをした。客員教授なるものは二〇一〇年、二〇一一年の両年度勤めて目出度くお役ご免になった。

大佛次郎についての話をつけ加えたのは、これがフランス革命についてひと渡り勉強するきっかけになったからである。羽田空港についたのは例の三・一一の翌朝だった。その翌日はまだ電車が動いていて、東京から知人たちがわざわざ話を聞きに来てくれた。次の日はもう電車が動かなかったのだから、運のよいにも程があった。思い返して何だか不思議な気がする。

二〇一三年七月

著者識

近代のめぐみ

マルクス主義史学に支配されてきた戦後の思想

『逝きし世の面影』を出したときに「〝昔の日本は良かった〟と言ってるだけじゃないか」と言われたりしました。なんだかナショナリストみたいに思われてしまって。でもあの本には、僕自身ひとつ驚きがあったんです。

というのは、外国人が幕末から明治のはじめに、当時の日本についていろいろ残している記録は前から翻訳で出ていたんです。ハリスの『日本滞在記』とかオールコックの『大君の都──幕末日本滞在記』とか、みんな岩波文庫に入っていたんですから、それも戦後すぐ訳されて。だから、もちろん学者たちは、そのことは知っていたわけでしょうけれど、全く無視されていたんです。なぜかというと、それらはみな「江戸時代というのは、とんでもなく遅れた、貧しく悲惨な時代だった」という見方に反するような証言ですから。要するに「外国人が見たんだから誤解してるんだ」とか「表面だけ見ただけだ」とか、そういうふうに思うことで安心していたわけです。

ところが、当時の外国人の見聞記は膨大な量があるんです。それだけ膨大なものがあるということが、鎖国から開国された日本が、世界の注目を集めていたことの証明なんですね。「おもしろい、おもしろい、おもしろい……」となったわけです。可愛らしくておもしろい、一種のワンダー（驚異）だったんですね。一人や二人、あるいは四、五人しか言っていないのならともかく、ものすごくたくさんの外国人たちが、口を合わせたかのように、証言が大体一致してるわけですから。もちろんファースト・インプレッションというのはいろいろ誤解も招くでしょうけれど、そのなかには、何年という長さで日本に住んでいる連中もいましたし。

ですから、結局は江戸時代の文明、もちろんダークサイドもあったでしょうけれど、いろんな面で驚かされるというのは、人々の表情が「非常に明るい、幸せそうだ」ということなんですね。これはなんと言っても疑い得ないわけでして。そういった「幸福感」というか「満足感」が、とくに庶民の中に現れているという事実に、彼ら外国人たちは注目したんですね。

で、「それを無視してきたのはなぜか」ということになると、戦後の思想は、ずっとマルクス主義史学が支配してきたわけです。いや、考えてみるとマルクス主義史学だけではなく、明治史学もなんですが、江戸時代がいかに後れた蒙昧な時代であったかということを言わないと、維新革命というのをジャスティファイ（正当化）できない、だから明治の新しい支配者たちがそういう非常に暗い江戸時代像を描かざるを得なかったんです。でないと、自分たちのやったことが正当化されないわけだから。

当時の観察者のなかには「なんでこの文明を変える必要があるんだ」と。「自分たちは後から乗り込んで、この従来の日本文明というのを世界の中に引き出すことによって打ち壊していくんだ」という自覚があるんですよ、みんな。つまり「自分たちは日本に変革をもたらそうとしているんだ」と考えていたんです。でもそのときも「こういう変革は必要ないんじゃないか、なんでこんな変革をしなきゃならないんだ」「いまの日本はこれでいいんじゃないか」というふうに思っていた人も、書いている連中も何人もいたんです。それを敢えて打ち壊し変革した。

日本の明治維新は、単に外圧だけでなく、内部からそれに応える勢力、潮流があったわけです。要するに幕府を倒して社会を一新しなければならなかった。それをジャスティファイしないといけないから、やはり戦前は体制派の史学といえども、江戸時代を暗黒時代として描かざるを得なかったし、ましてや戦後マルクス主義史学が支配するようになったら、それはすごかったんですね。戦後の学者だって、当然外国人の残した文献は読んでいたんだろうけれど、耳に入らなかったんですね。

たとえば、旧ソ連における強制収容所の存在なんていうのは、早くから知られていたわけです。何もソルジェニーツィンの『収容所群島』で明らかになったわけではないんです。『収容所群島』がフランス語に訳されたのは一九七三年なんですが、ものすごいショックでした。フランスというのは、ずっとフランス共産党の威信というのが後々まで残っていて、左翼知識人たちはサルトル以下同調者が多かったのだけれど、それでショックを受けたわけです。でも、それでショックを受けたというのもおかしな話で、それまでも情報はたくさんあったんです。だけど、ひとつのイデオロギー体制があれば、情報があっても落ちてしまう。戦後の左翼史学の枠組みのなかで、そういう情報というのは、みんなあることは知っていたのだけれど、無視されてしまうという状態だったと思うんです。

お芝居のようだった江戸時代の日本

『逝きし世の面影』は、要するにただ「外国人がこう言ってるよ」ということを、文献を広く当たって書いただけのことです。邦訳はほとんど読んでいたつもりだったけれど、それでもいま頃になって「こんな邦訳があったのか、知らなかった」というのも出てきました。それから、英語文献だと、僕が読んだのは代表的なものだけです。ましてやフランス語、ドイツ語は翻訳がないかぎり僕はダメですからね。だから訳されていないものまで入れたら、相当な点数になっていると思うんですが、少なくともそれらは僕がいちばんたくさん調べて読んだと思います。そして書いてあることを、素直にまとめただけのことなんです。

ただ、項目立てにはちょっと工夫をしました。たとえば「身体」という項目でも、日本人の下層階級はじつに立派な体をしてると言うわけです。背は低いけれど、均整がとれて体格がいいと言うんですね。それに対して侍以上の上流階級は、じつに体格が悪いと言うわけ。そんな指摘なんていままでされたことがないですよね。そしてまた、日本人の女はものすごく魅力的だと。女は魅力的だけど、どうして日本の男はこんな「醜い」とか、「格好悪いのか」とか（笑）。これも下世話な話から始まって、いろいろと意表を突く。とくにいちばん意表を突いたのは「農民が豊かだ」と言っていることです。これは、彼ら外国人が見たのは天領が多かったからなんです。だから、藩領に入っていくと「だいぶ違うなあ」という感じは持ったらしいですけれど、でも少なくとも天領においては、「じつに農民の生活は西洋の農民の生活よりもいい」というふうに書いているわけですね。これなんて、戦後書かれてきた歴史は、江戸時代は百姓一揆ばかり起こっていたように書いてきたわけですから、だいぶ違うわけですね。

そして、やはり生活を楽しむというか、彼らは「お芝居みたいだ」って言っているんです。

なにもない部屋の中に、そこにちゃぶ台がひとつだけ置いてある。あれは食堂になるし、脚を折ってたためば、そこに布団を敷いて寝室になるし、ちょうど舞台の上で道具を替えれば、シーンが変わるようなことです。それで食事しているのを見たら、庶民にいたるまで食器がきれいで。つまり西洋だったら贅沢品になるような、マイセンとかエインズレイとか、そういうじつに洗練された食器で食事してるわけです。だからママゴトみたいな、お芝居みたいなって感じたわけです。

それで、とくにこれは江戸娘が中心になると思うのだけど、娘の可愛らしさがすごいというので「娘」が当時フランス語の辞典にも載るようになったんです。「ムスメ」という単語で。だから、とにかく可愛らしい童話の国みたいだと思ったんですね。

もちろん内部まで入ってみれば、江戸時代だって百姓一揆もあれば、打ち壊しもあれば、幕府に対するいろいろな集団的陳情運動が自由運動になるというようなことは、あったのでしょうけれど、しかし少なくとも町の表情や日常生活は「これは楽しいなあ」「これはおもしろいなあ」ということです。たとえば江戸時代はお風呂なんかも混浴で「俺も入ってみたい」っていうわけですね(笑)。

ロシア人のメチニコフが書いているのだけれど「オリエンタル・デスポティズム（Oriental

despotism)」という言葉があります。当時のヨーロッパには「東洋的専制主義」という概念がありました。この「東洋的専制」というのは、中国とかインドとか、ムガル帝国とか、それから当時のオスマントルコとか、そういう国がイメージのもとになっているのだろうけど、日本に来たら全然そうではなくて「デモクラティックだ」と言うんです、気風がね。もちろん社会階層はあるんだけど、上のものが下にものすごく気を遣うというデモクラティック。ひとつ例を挙げると、お芝居なんかあったら、場面転換のときは観客が上に上がって手伝うと言うんです(笑)。とにかく非常に民主的である、デモクラティックだと驚いたわけです。

そしてもうひとつは、物価が安いということ。物価が安いだけではなく、江戸時代の後期は全国市場が成立して完全に市場社会になっています。ですから封建社会なんかではないんですよ。「アーリーモダン」という完全な近代社会ではないけれど、「近代初期」という完全に社会の経済化が完成してる社会で、だから各種豊富な商品もあったんですね。

しかし、それは「機械制工業」ではないんです。いわゆる「マニュファクチュア」というか、いや、マニュファクチュアまでもいかない手工業です。手工業としては最高の段階に達しているというふうに感じたわけです。ですから、いわばそこで、円熟した文明、熟成した文明の姿を見たんでしょうね。

僕が『逝きし世の面影』で書きたかったこと

僕は、外国人の記録に表れているそういう素直な驚きを、そのまま紹介しただけ。それは、別に「日本というのはこんなにすばらしい国だよ」とか、「だからもっと自分の国には誇りを持て」とか、そういうことが言いたかったのではなく、江戸文明というのは非常に愛すべき文明だということなんです。もちろん暗黒面もあったんです、ダークサイドがない社会というのは、ないわけだから。だけど、全体としてとても可愛らしい非常に魅力のある文明。で、その中で暮らしている連中がそれに満足しているような社会。それが江戸文明なわけです。

僕らが現代文明の中、あるひとつの文明社会の中に生きるということは、それが基準となり、当たり前だと思うことです。でも当たり前ではないのではないか、全然違ったカタチの社会もあり得るのだと思うのです。つまり現代文明というのを相対化するというか、文明にはいろんな可能性があって、人間社会にもいろんな在り方があり得る。何もこの近代社会、僕らが生きてる現代社会というものが唯一の形態ではないという、現代社会を相対化してみる視点を、僕は持ちたかっただけです。

これについて僕が困るのは「昔の日本は良かったですね、あんな昔の日本を取り戻すにはどうしたらいいんでしょうか?」というように話を持ってこられる方がいることです。あの本(『逝きし世の面影』)については、インタビューを何十回受けたかわからないんですが、正直言ってこの質問にはうんざりしています。僕は『逝きし世の面影』の中で「昔が良かったから戻りましょう」と言っているわけではないんです。だって、戻ろうと言ったって、戻れやしないわけです。そんなことは不可能なんですから。

それは昔良かったものが悪くなったというのではなく、現代社会は昔になかったいいところがたくさんある。けれど、人間の歴史というか人間の文明や社会の動いていく道筋というものは、新しき良きものを獲得したら、古き良きものを失わねばならないという代償を伴っているんです。ですから、過去には戻れないのだけれど、ただ、かつての古き良き文明……「良き文明」という呼び方も本当は困るんです、さっきから言ってるように、江戸時代だって暗黒面もあるわけだけど、しかし少なくとも持っていた「美点」というもの、こういったものを近代文明の中で、また違ったかたちで実現していくような指向性というものは感じ取れると思うんですね。

だから僕のあの本を読んでいただいて、「昔は良かったなあ。それなのに日本はダメになった。誰が悪いんだ」みたいな、そんなふうな話に持っていくんじゃなくて、全然異質な文明ですからね。そういうものを失った代わりに、自分たちが何を得たのか。その得たものが大事なんですよね。

しかし、その得たもの、つまりこれは近代化ということの意義、要はメリットと言ってもいいですけど、そのメリットをしっかり押さえながら、しかしなおやはり日本の過去の文明が持っていたような美点というものを、また別なカタチで発揮していくような、そういう工夫はあっていいと思います。それぐらいのことです。大したことを言ったわけではありません。

江戸時代の侍とはどのような立場だったのか

ただ、江戸社会というのは、これはなかなか上手くできていて、というのも、不思議なんです。なぜかと言うと、江戸時代の初期は、じつに殺伐たる時代だったんです。だって、「幕藩体制」と言われたように、中央に幕府があって、そして日本全国に天領と、天領以外の小さいものも入れると藩だけで三〇〇ぐらいあったのではないでしょうか。それを全部、いわば軍事占領されたわけです。

戦国時代が終わり、それから織豊時代が終わって、それぞれお互い自分たちの領土を広げたり削ったりする戦いを熾烈にやってきて、そして「元和偃武」と言って、戦乱が終わって平和になった。大坂冬の陣、夏の陣が終わって、もう戦がなくなったことを「元和偃武」と言うでしょ。「元和」というのは年号、「偃武」というのは武器を置くということです。それで、元和偃武で平和になったんだけど、実態は、まだ武装勢力が各領土、各地域を占拠してるんです。だから「ギャリソン・ステイト（Garrison state）」という兵営国家だったんです。

たとえば肥後藩でも、軽輩を入れたら肥後藩には二万人近くの侍がいました。一口に侍と言っても、武家社会の仕組みはなかなか複雑で、庶民から見たら同じ侍でも、やっぱり一〇〇石以上はちゃんとした侍で、それ以外はいわゆる足軽、軽輩なんです。しかし、その連中も含めて二万人ぐらいの士族がいたわけです。当時の熊本県の人口がどれだけだったのか、正確に知らないけど、とにかく人口に対して膨大な数の日本刀を差したやつが駐留していたわけです。なので、江戸初期は百姓や反権力との争いも凄まじいものがあったんです。とにかく日本の戦国時代の末期でしたね、室町の後期。これはアナーキーな時代で、そして百姓はみんな武装していたんです。

たとえば織田信長の軍隊であるとか言っても、実態は武装した百姓でした。その中から成り上がった秀吉は典型ですが、百姓から成り上がって殿様になったやつはたくさんいたんです。百姓はそれだけの実力を持っていたし、また自尊心も持っている。だから、江戸時代初期に起こった百姓一揆というのは、殿様の首を取ったり、弾圧されるほうは徹底的に皆殺しにされたりと、凄惨な様相だったんですよ。

ところが、江戸時代も後期になって収まっていくと、百姓一揆というのは鎌（かま）を持ったり、鍬（くわ）を持ったりしているけれど、あれはシンボルに過ぎなかったんです。要するに、春闘みたいなもので、藩当局とのゲーム化した交渉でした。だからある程度のところでの手の打ち方もわかっていた。そして百姓の側では犠牲者を、たとえば代表者が二人ぐらい、あるいは四、五人、首を斬られるということもありましたが、ちゃんとルールがお互いにあるような、そういうものになってしまったんです。ですから百姓一揆と言っても、さほど革命性のあるものでは決してなかった。なかには例外的に幕末になったら、ちょっと革命性を帯びたのもありましたが、一般的傾向としては、一揆というのは幕藩体制を少しも否定するものではなく、百姓の条件闘争でした。

それで、平和になりましたでしょ。侍も、江戸時代の一七世紀、つまり元禄時代ぐらいまで、当然のように、抜いた斬ったをしていました。往来を歩いていたって、向こうの泥のはねがかかったというくらいでも、いざこざが起きていたほどです。たとえば、江戸屋敷で、火事が起こったからみんなで見ていたわけです。そしたら「あの火事は消えた」、もう一人は「消えん」と言うわけですね。それでケンカになって、お互い刀を抜き合って。だから、戦国の余風というか非常に殺伐たるものがあったんです。

ところが一八世紀に入ったら、とくに吉宗以降、刀を抜いての刃傷というのは本当になくなるんです。いわゆる切り捨て御免的なものも、やろうと思えばできたわけですが、やったら、取り調べられて後が大変なんです。よほど理由がないと、かえって武士が処罰されますから。なので、侍が町人から侮辱されても「どうだ、抜いてみろ、抜けまいが」と言われるような、そういうような状況でした。

うまくいっていた身分制度

あの頃の実話集からいろいろ拾ってみると、たとえば田舎から出てきた若侍が、盛り場で中間(ちゅうげん)たちから侮辱されて殴られて我慢して。そしたらまたその次に出会って「また出会ったなあ」と言われ、さらに嘲弄しようとするから、侍はたまりかねて斬って捨てた、という事件があったんです。その場合はお咎めなしでした。

だから、町人のほうが侍に対しては図に乗ってたわけです。たとえば飲み屋で、侍の刀が自分に当たったとか言って、それを取り上げてしまって、侍が平身低頭して「返してくれ、返してくれ」って。でも町人は「返さない」と。それで見るに見かねて、ほかの武士がその町人を叩き斬ろうとすると、町人が慌てて返したという話もありました。その侍はなんで我慢したかというと、藩邸を無断外出して酒を飲んでる。だからそのことが明るみに出てトラブルになったら困るでしょ。侍にとっても窮屈なものだったんです、それだけ束縛されていたというか。だから映画みたいにそう簡単に切り捨て御免なんかできるわけない。

後々、大坂の侠客の親分になった男の若いときの話です。いまで言うところの、ヤクザの走り使いぐらいの若者がどこかの中間と二人で土手で涼んでいると、強そうな若侍が通ったんです。そしたら中間が「どうだ、あの侍にはちょっかい出せないだろう」と言い「やってみる」と言うわけで、その威勢のいい若衆が、侍に組み付いていくわけです。そしたら侍はバーンと投げ捨てるわけです、そしたらまた組み付いていく。また投げ捨てられる。そしたらまた組み付いていく。侍が「どうしてそう組み付くのか、どうすりゃいいんだ、自分はどうしたらおまえは気がすむか」と。そうしたら「詫び証文を書いてくれ」と。それで、侍はうるさかったんでしょう、詫び証文を書いたんです。どういう詫び証文だったかは分かりませんが、とにかくおまえを投げて悪かったとかなんとかだったのではないでしょうか。それでその男は関西で名のある親分になって、その詫び証文を一生額にかけておいたらしいです。だから庶民にとって武士は、負けちゃいけない挑戦しがいのある存在だったんです。江戸っ子が言うでしょ、「二本差しが怖くてメザシが食えるか」って。

幕府の役人が、夜まで仕事して終わって、遅くに帰ろうとしているときに、町人同士が道をふさいでケンカしているんです。通れないから「通せ」とその侍が言ったら、町人は刃向かってくるわけですよ。さんざん刃向かうから、しょうがないからその侍は刀を抜いて町人を斬る。でも怪我しないようにちょっとだけ斬る。それでもまだ向かってくるんですよ。しょうがないから最後は斬り殺すわけだけど。そのとき、この事件があったことを辻番所に届けるわけです。要するに、江戸っ子の意地なんです。自分が斬り殺されるまで、江戸っ子の意地を通すわけ。つまり侍に対しては、そういう江戸っ子の意地の通しようというものがあったんでしょうね。それからまた別の話ですが、侍の子どもで、塾に行くでしょ。途中必ず町の悪ガキ、ガキ大将がいて、侍の子どもを捕まえて殴るんです。年も上で体も大きいでしょ。子どもはたまりかねて親父に「斬っていいか」って聞くと、親父は「斬らずに突け」と言うわけです。確実に相手を殺すには突く方が有効ですから。それで何遍も殴られた後で、またそいつが出てきたからそのときは、親父が突き殺したわけです。名古屋の事件でしたが、そのことでその親子は、名古屋を追われて身を隠さねばならなくなりました。また別の話で、川路聖謨（かわじとしあきら）という幕末の有名な能吏（のうり）がいました。長崎でプチャーチン艦隊を応接した人です。勘定奉行などをやった人ですけど、この川路聖謨も小さいとき町の子に塾の行き帰りに泣かされたそうです。

勝海舟の親父の勝小吉なんていうのは、五〇石ぐらいの御家人です。勝家のもとを辿ると、海舟のひいじいさんあたりが、越後から出て来た盲人です。でもその中でも出世して検校（けんぎょう）になって、金を貯めて金貸しをした。そして金を儲けて、旗本の株を買ったんです。それで「男谷（おたに）家」という旗本になったわけです。その男谷家が、幕末の剣術の名家の男谷になっていったから、剣客が出てるんです。そういう家柄からの男谷家から勝家、に小吉は養子で来たわけです。勝小吉には自伝があるんです。その自伝を読むと、町の子どもと全然変わらなくて、町の子どもたちと毎日ケンカです。昔は、町内が違えば、町内同士の子どもがケンカしてましたが、それと同じようなものです。

しかし、江戸時代の「侍」は一つの身分であり、庶民は尊敬せねばならなかった存在だし、事実尊敬していた側面もあったんです。これは中野三敏さんという、九州大学の名誉教授で国文学者で江戸文学の第一人者ですが、この人が言うには、要するに左翼史学は、庶民が侍に反抗していたように言うけど、そうじゃなくて侍というのは庶民の憧れの的だったんだと。これは芝居の「助六」を見たらわかるだろうと言うわけです。つまり、一つの自分たちの規範であると。もちろん規範と言っても、実際の侍には、とくに江戸の御家人なんていうのは無頼漢みたいなのもいっぱいいて、お役にも就けないで、家禄も四〇石とか五〇石でやっていくなどという、そういうのもいたけれど、しかし建前としては歌舞伎の芝居に出てくるように「侍はこうあるべきだ」という規範があって、それがやはり庶民の一つの憧れであり、またそういうものに倣うことが庶民の道徳であったと言っているんですね。

ですから、この身分というのはわりと上手くいっていたわけです。そしてしかも、武家の身分というのは、株を買うことで成り上がっていけるのですから。さっき言いました川路聖謨、彼は下級武士の出身です。勝家は越後の農民だし。とくに幕末の能吏の出身というのはそういうのが多かったですね。ですからそういう広範な、社会的流動が決してあったわけじゃないけれども、しかしちゃんと勉強さえすれば、あるいはお金さえあれば、身分的上昇を図ることができた。だから侍というのは箱(ボックス)みたいなものですね。ある手順をとったら、そこに庶民からでも入り込んでこれるという、そういう仕組みがあったんです。江戸時代というのはそういった意味での柔構造なんでしょうね、だから二七〇年も長続きしたんだと思うんです。鎖国ということもあったんでしょうけど、平和な社会になりましたから。

江戸のニッチな世界と公正さ

江戸時代はとくに商業が盛んとなり全国市場が発達しました。吉宗というのは「米将軍」と言われていて、大坂の堂島の米相場にずっと注目していたそうですから。そして、非常に職業というのが細分化されて、つまり大企業に就職しなくたって生きていけたんです。もちろん大企業なんてなかったですが。それで、イザベラ・バードという、日本の旅行記を書いた女性がいて、馬に乗って東京からずっと東北を縦断したんです。平凡社の東洋文庫から出ていましたけれど、これは抄訳で、僕は元の英語本で読みました。完訳がやっと最近東洋文庫からまた出ましたが（『完訳　日本奥地紀行』平凡社ライブラリー）。

それで、バードが新潟に行ったときの話なんですが、とにかく店が細分化してるというんです。つまり櫛なら櫛しか売らない、扇子なら扇子しか売らないという。生態学的に「ニッチ」と言うでしょ。生物がそれぞれ自分のある位置を占める、それを片仮名で「ニッチ」と。つまり同じ木にしても、上のほうはこういう鳥が住んで、下のほうにはこういう鳥が住むとか。また同時にその木には虫も棲むとか、棲み分けによって、それぞれの自分の生きる位相というかな、それを「ニッチ」と言うでしょ。そのニッチが多かったわけです。たとえば、キセルがあります。キセルというのはヤニが溜まるでしょ、だから掃除をしないといけない。それを掃除する専門の職人がいて、掃除道具を抱えてずっと町中触れまわっていた。キセルの掃除だけで飯が食えるわけです。そんなふうに、職業が非常に細分化されていて、それは決して豊かな暮らしとは言えないでしょうけれど、でも最低限の生活は保障されたんですね。いまと違って、社会保障体制がない代わりに、庶民の相互保障がありました。村は言うまでもなく町内でもです。江戸時代は町内というものがあって、困ったやつの面倒はみんなで見るという意識があったんです。

そして西洋人が感心したのは、法律が公正だと言うんです。つまり西洋の階級社会の場合だと、貴族は罰されないけれど、一般民衆は罰されるというようなことがあったのだけれど、日本では、侍も殿様も罰せられたわけです。これは事実です。非行を行ったら藩主も改易になる。侍も、幕府の役人も、商人と結託して腐敗したら、処罰されるというふうに。もちろんすべてが処罰されたわけじゃなく、腐敗した部分も相当あったんだろうけれど、しかし少なくとも裁判においては甚だしい例は処罰されていました。だから、日本の裁判は非常に公正だって言うんです。とくにオランダ人はずっと江戸にいましたから。長崎の出島から出なかったけど、年に一遍、江戸に旅行しましたからね。後では四年に一回になるんですが。それで、裁判は厳しいんです。一〇両盗んだら打ち首ですから。一〇両で打ち首だから、庶民は実際、二〇両盗まれても、三〇両でも、「九両五分」って届けていたんです。そして江戸町奉行所も「九両五分」と書くように勧めていたんです。首にしたくなかったんですよ。訴えるほうも、首となると気が咎めます、化けて出てこられても嫌だからね（笑）。

だから、建前と実態が非常に違う。そこは西洋人も気付いていたんですが、建前が厳しくても実態で運用していくということです。

子どもが火付けして火事を起こしたら、本当は火付けは重罪人で磔なんです。でも代わりに大きなお灸を据えたという（笑）。つまり火事を起こしたわけだからデカいお灸、という話もあるぐらいで、非常に運用が柔軟なんですよね。そしてやはり日本人の、これはやはり国民性と言うのか、お互い気を遣って――社会でいえば、お互い肩がぶつかっただけで「なんだテメエ」とか言ったら、もう険しい嫌な社会になるでしょ。ですからそうではなく、お互いに気を遣って和やかにやっていくというふうな、そういうふうな一つの合意が成り立ってると、西洋人は言うんです。

町は庶民の共同空間

だから旅をするにしても、これは日本だけのことではないでしょうけれど、東海道をてくてく歩きで、疲れたらすぐお茶屋に入るから、茶屋がいっぱいあると言うわけです。茶屋に入ったら、自分の知らんやつでもすぐ仲良しになる。そこで話し込むんですね。それで「いつかは着くだろう」という調子で、つまり「タイム・イズ・マネー」なんて観念はなかったんです。これはブラックという西洋人が書いているんですが。またブスケという西洋人は「日本には近代工業は成立しない」と。労働者がそういうのを受け付けない。サイレンがウーと鳴ったらそのときは門に入ってとか、そういうのは駄目だと。なぜかと言うと、あいつらは働くけど、必ず途中で煙草休みとかなんとか言って、好きなときに休む。そして祭りがあったら、祭りが優先だから出てこないで、また休む。

つまり、近代的労働規律が確立しないんですね。労働の主導権を働く人間が握っているんです。ちゃんと働く代わりに休みたいときは休む。だからオールコックというイギリス公使は、日本人は自律的だと言ったんです。自律的と言うのは、つまり自分の思うように生きられるということですね。

何か珍しいことがあったら、すぐにうわーっと大群が集まってくる。いわゆる野次馬です。よくそんな暇があるな、と。普通に会社勤めかなんかしていると、何かあってもバッと飛び出して見に行くわけにはいかないでしょう。とにかくワーッと来るというのは、要するに日本人は自分の時間を好きなように使えていたんだ、というわけです。

また、結婚するにしても、イギリスだったら、何百ポンドかないと結婚できないというわけです。世間体もあるし、家だって借りなきゃいけないし、家財道具も入れなきゃいけない。日本人ときたら、鍋、釜、竿と布団さえあれば、寄ってすぐ所帯ができる、お金なんかいらないと。つまりそれだけ生活が、他の外的条件に縛られてなかったんですね。

そして、イギリス人の女性が、漁をしてる有り様を見たら、引き網に魚がかかってくる。そばには遭難事故で夫を亡くした未亡人とか、年を取ったばあちゃんとかがいて寄ってくる、全部分けてやる。だから、共同性というかコモンズ（共有地）ですね。コモンズというのは、イヴァン・イリイチという思想家によれば、こういうことです。「一本の大きな木があれば、そこは集会所にもなるし、あるいはそこから落ちてきた実は豚が食べるし、要するにみんなが共有で使える空間というのがある。また「通り」もコモンズだった」というわけです。いまでも中南米、メキシコあたりへ行ったらわかるかもしれないけれど、道路にまでいっぱい店の品物がはみ出していたり、子どもが遊んでいたり、そして老人がチェスをしていたり。江戸時代の日本の町もそうだったんですね。ところが自動車が通るようになったら、一切全部排除してしまった。西洋人が言ってたのは、日本の母親というのは朝になったら全部子どもを追い出すと。子どもは外で遊ぶもんだと。だから町中を子どもたちが占領していると。西洋人なんかが日本の道を馬車で通ったりしても、日本の子どもは微動だにしない、相手がよけてくれると思ってると。だからイギリス公使の夫人なんていうのは、「私の馬丁は」、馬丁というのは、つまり馬車の前に先にダッシュしていく男です、五〇ヤードだったかな、「五〇ヤードごとに一人、人命を救っています」と言う。つまりばあちゃんが邪魔だから「ばあちゃん、馬車にひかれるよ」と抱えていく。子どもに「おう、坊や、危ないよ」と。つまり町は庶民の共同空間でした。

こうして明治維新は起こった

だから徳川社会って非常にいい社会だったんです。ただ、何が問題かと言うと、要するに武士階級の人間が多すぎたんです。江戸もそうですけど、ほとんどが普請役といって、お役が就かない。家禄は来るけど、その家禄も後でどんどん減らされていく。実際一〇〇石だとしても、半分しかもらえないということになっていました。

侍は膨大な家臣団を抱え込んでいます。江戸時代は「侍」というのは、じつは二本刀を差してるけれど、軍人じゃなくて役人、要するに行政の役人でしたね。だけど、行政のポストってそんなにないわけです。僕が住んでいる熊本だけで、二万人なんて抱えてる必要はないんです。いまの県庁だって二万人なんて抱えてません、四〇〇〇人とか五〇〇〇人ぐらいでしょう。人口はいまのほうが比較にならないほど多いのに。だから二万人も侍を抱えてそれを養わなきゃいけないわけですから。それが最大の矛盾だったんですね。だから庶民の上層のほうがよっぽど生活はよかったんですよね。家臣団を抱えて、それを整理できないというその硬直性。侍階級という不生産階級、まったくの不生産階級ではなく、一種の公務員、行政職なんだけれど、でも家臣団から行政職に充てるものといったら、ごくわずかで済むのに、それ以上の膨大な人数を抱え込んでいる。だから役職に充てられないやつは不満。だから侍から明治維新が起こってくるんですよね。

それでおもしろいのは、殿様というのは何の権力も持たなくて、全部、家臣団が持っていた。学者で『主君「押込(おしこめ)」の構造』（笠谷和比古　講談社学術文庫）という本を書いてる人がいます。主君を押し込めるわけです。「主君押込」というのは、その主君が非常に暗愚で女に溺れたり、それからお金を湯水のように使ったり、あるいは勝手に家臣を手討ちにしたり、そういう暴君の場合、押し込めるわけだけど、そうじゃなくて改革をやろうとしたら、押し込めるというケースもあるんです、守旧派の上級家臣たちが団結してね。「上杉鷹山（ようざん）」って、藤沢周平さんが小説に書いているけれど。晩年に書いた小説の『漆の実のみのる国』（文春文庫）というのは、上杉鷹山が改革をやろうと思ったら、上杉鷹山は養子だから、家老たちがさせないわけ。それで引退した前の殿様が出てきて、「おまえら、俺の養子を馬鹿にするのか！」って重臣たちに言った話なんです。そういうふうに、改革をやろうとするやつがいたら押し込めてしまう。押し込めるというのは隠居させるわけですね。ですから家臣団にもう権力が移っているんです。だからこそ、薩長が倒幕の主力になれたわけですけど。長州の殿様というのは「そうせい公」というあだ名があって、何か問わされると「そうせい」と言うから、「そうせい公」と。

そして日本が開国せねばならなかったのは、もちろん江戸時代のいま言ったような矛盾、膨大な家臣団を抱えて、つまり藩経営が火の車だということ、町人たちにもう実権は握られてしまうということ。そういうことはあるけれども、日常生活からいったら、庶民が革命を起こすようなことなんて何もなかったんですね。

ただ、江戸時代の構造は、武士階級があまりに膨大なひとつの家臣団を抱え込んでいたから、常に恒常的な赤字財政で、商人階級に実権を握られてしまうというのは構造的な危機なんですけど、だけど、それだけでは江戸時代はまだそう簡単には倒れなかったんです。というのも、藩自体がいろいろ改革をやって、薩摩の場合は「薩摩の殿さんというのは質(たち)が悪い、借りたら返さん」というんで、関西筋の商人はお金を貸さなくなったんですよ。だいたい当時金を借りるとなったら関西筋の大坂商人とかに借りるんだけど、金を貸さないわけです。それが何百万両ってあったんです。それを立て直したのが、中級家臣から成り上がった調所笑左衛門(ずしょしょうざえもん)という非常に商才に長けた男でした。彼は奄美大島、沖縄の砂糖生産や、肥後の場合は櫨(はぜ)を生産して櫨蠟をとったりして、経済を盛り返したんです。そういう藩による殖産興業、もちろん上手くいく藩も、上手くいかない藩もあったんですけど、とにかくそういう藩政改革によって大きいところを乗り越えた例もあったので、簡単には倒れなかったんです。倒れたのは外圧ですね。

近代国家の成り立ち

だけど、日本の歴史学というのはおもしろい。やっぱりマルクス主義というのは、社会内部の発展によって社会は変革されていくという、つまり社会改革によって階級対立、社会内部の階級対立によって社会が変革されていくという立場です。ですから、国外からの外圧で革命が起こったということを認めたら、つまりマルクス主義理論が否定されたように思うわけです。でも、そんなことはないですよ。だって世界はひとつなんですから。資本主義というのは一国資本主義で成り立っているのではなく、世界資本主義ですから。要するに日本の改革というのは、世界資本主義の市場に取り込まれたということなんです。

ウォーラーステインという、このところずっと流行ってきたアメリカの歴史家がいるけれど、彼が「近代世界システム」と言っています。その近代世界システムに取り込まれたんですよね。ところがその近代世界システムというのは、それぞれに成立した民族国家というものが、政治的・経済的へゲモニーを巡って争う、ひとつの闘争の場なんですね、闘技場なんですよ。とくに経済は一国だけで成り立っていないで、世界規模で連動してますから、その世界経済の中で優位を占めるか、あるいは劣位を占めるかということで一国の生活水準が変わってきますよ。とくに近年はその傾向が強いわけでしょう。ですから「失われた二〇年」とか、日本で言うわけで。

だから、日本が「ジャパン・アズ・ナンバーワン」とか言われていた時代は、国内はみんな良かったわけだけど、失われた二〇年になって経済運営が失敗して、国際的な経済地位が低下すると国民生活も悪くなる、直結するわけでしょう。そういうふうな国民国家のシステムなんですね。「国民国家」、つまり現代の世界というのはグローバリズムとかなんとか言いながら、実際は国民国家を強化しています。では、その国民国家のシステムがいつできたかと言うと、これが完全にできあがったのはフランス革命でした。

つまり、近代国家というのは、国のために国民が命を捨てるということで成り立ってるんです。「お国のために」ということがないなら成り立たない。「国なんて必要じゃないよ」なんて言うんだったら、これは売国奴ですから（笑）。ところが、その国民国家によって国際社会が構成されているという、これを「インターステイト・システム（interstate system）」というふうに言うわけです。そのインターステイト・システムは、近年になればなるほど経済的な競争が激しくなるんですね。だからそこがやはり近代国家の問題点だけど、幕末の人たちはみんなその点を痛感したんです。

つまり、日本はいままでは自分の国の中でやってきた。もちろん最近では「鎖国なんかなかった」なんていう議論もあります。最近というよりも、三〇年前ぐらいから鎖国の見直し論はあるんですが、だけど、一定の鎖国をしていたことは間違いない。もちろん窓口は幾つか開かれていた。長崎だけではなく幾つかの窓口が開いていたというのも事実です。けれど、オランダ以外の外国船は来てはならないという、それも事実だったわけですから。

それが開国によって国際市場に開かれたわけでしょ。そうすると彼らは実感したわけです。政治的に言うと、もちろん「植民地化の危険性」ということがありますけれど、それだけではなくて、要するに「近代化しないと日本は経済的にも政治的にもダメ、全部やられてしまう」、つまり近代国家のシステムというのは、政治的・経済的にその中でお互いの優位を争うシステムだと。

サッカーには世界順位がついてるでしょ。あれと同じようなもんですよ。そこから蹴落とされていくということは、踏んだり蹴ったりの目に遭うということなんです。つまり経済的に搾取される一方の、発展途上国になってしまうわけです。だから、富国強兵はそれなんです。つまり強い軍隊を欲する。それから近代産業を育成する。この必要に直面した。それを彼らは「万国対峙の状況」と言ったんですよ。万国と対峙する状況ね。要するに、幕末の志士たちは、みんな狭い日本から一歩出てみたら万国対峙の状況だということ、うかうかしておれん、ぼやっとしとったら蹴落とされて舞台の隅っこに置き去られてしまう、ひどい目に遭うと思って、富国強兵に向かったんです。それが開国だったんですね。

江戸時代が倒壊せざるを得なかった理由

江戸時代というのは非常によくできたシステムだったのに、それが倒壊せざるを得なかったのは、近代国民国家が形成するインターステイト・システムの中に出ていく、つまり近代国民国家同士が競争し合う厳しい生存競争の中に出ていくためには、徳川体制ではダメだというのが原因だったんです。

なんでダメかと。たとえば外交などは、徳川将軍というのが国の支配者だと思って交渉していたら「京都に聞かないとご返事ができません」と。「なんだ!」「天皇というのがいらっしゃいます」「何ものだ、天皇というのは!」ということでしょ、二重外交になってしまっています。だから幕府が約束したことも、朝廷がうんと言わなきゃ。その朝廷のうえには反幕府が、長州幕府がついてるわけです。そんなふうな体制で万国対峙の状況には出ていけないですよね。だから統一国家をつくらなきゃいけないと。統一国家をつくるにはどうするか。薩摩の殿様は自分が代わって将軍になるぐらいに思っていたけど、そんなので上手くいくはずはない。将軍は、もちろんダメ、引っ込めないと。そうすると天皇しかないということで、なんの実権もなかった天皇を引っぱり出してきたわけですね。

だから日本の近代化というのは、そこから始まったんです。江戸時代というのはなかなかいい社会だったのに、ダメな理由を簡単に言えば「国際社会に通用しない体制」だったから、それだけのことなんですよね。

だから僕が『逝きし世の面影』で書きたかったのは、国内的には、問題はいろいろ抱えていても、やはりそれなりに上手くいっていたシステムなのに、それがなぜそういうものを打ち壊して明治国家のシステムをつくらざるを得なかったかという、そういう問題があってあの本を書いたつもりでした。

ただ、江戸幕府が近代化するコースもあったんです。フランスと結んで近代化をしようとしていたんですよ。フランスから資金を導入して、横浜に製鉄所をつくろうとしたでしょ。将軍は、あのときは一五代将軍慶喜、だから昔気質の幕臣は慶喜が幕府を売ったと考えたわけです。慶喜は錦の御旗に抵抗しなかったですね、すぐ江戸に逃げ帰って恭順の意を表しました。

その前に幕府は、三〇〇以上ある藩のなかで重要な藩を集めて、将軍、それから、薩摩の殿様、長州の殿様たちで会議をひらき、それで幕府主導のもとで日本を運営していこうとしたんです。もしそうだったら、日本はあんな急激な近代化はできなかったですね。漸進的な近代化、あるいは中国の近代化が失敗したように、失敗したかもしれませんね。だからいろんなコースがあったと思うんです。だけど、日本のああいう急激な近代化、とにかく国際社会に適応するためには、過激な近代化をやらざるを得なかった。しかし、それに成功したというのが、また日本のすごいところで、それは徳川時代の遺産、国民の教育程度の高さがあったからです。

日本の当時の識字率というのは世界No.1だったんです。ヨーロッパの近代的な国家より、識字率はずっと上でした。さらに、いろんな意味での勤勉の習慣。日本の経済史家でおもしろいことを言ってる人がいまして、ヨーロッパでは産業革命（インダストリアル・レボリューション／industrial revolution）が起こったでしょう。それに対して同時代に日本で起こったのは勤勉革命（インダストリアス・レボリューション／industrious revolution）。つまりインダストリー（industry）には二つの形容詞形があるでしょ。「industrial」と「industrious」ね。勤勉革命とはどういうことかというと、要するに産業革命は資本投下、勤勉革命は労働力投下。だから同じ土地に対してそれまで以上の労働力を投下して土地の生産性を高める。それを勤勉革命と言っている有名な経済学者がいるんです。だから、江戸時代はそういう「勤勉」という美徳を徹底的に教え込んでいたんです。

それは一つは、「石門心学」というのがあって、それが庶民に道徳的に心を説いて、勤勉に働けば貧乏を克服できますよ、勤勉に働いたら一家楽しく暮らせますよという。もちろんそれは儒教から出てきてるんですよね、儒学から。「儒学」は日本には早く、南北朝の頃から紹介はされていたんです、あれは宋学ですから。だから南北朝の頃はすでに儒学は流行ってきているんだけれど、その儒学というのが社会の支配的なイデオロギーになるのは、江戸時代になってからなんですよね。それも五代将軍犬公方、綱吉以降です。

だから、そういうような儒学の普及というものが、そしてまた中国儒学と違った日本儒学が、中江藤樹とかいろんな学者によって成立してくるでしょう。そういうのが通俗化したかたちでの石門心学というのが、庶民に浸透していった。だから「勤勉」という徳目が日本庶民に徹底したんですよね。農民にも職人にも町人にも。与太って遊んでたのは、江戸の御家人ぐらい（笑）。

もし日本がヨーロッパに近かったら？

有名なマックス・ヴェーバーの『プロテスタンティズムの倫理と資本主義の精神』（岩波文庫）というのがあるでしょう。それに対してベラーというアメリカの学者が『徳川時代の宗教』（岩波文庫）というのを対比して書いた。だからそういう勤勉の精神というのは、やはり資本主義に適合的だったんですね、しかも高い識字率。

そして、明治維新は決して無血革命じゃないんですよ。戊辰戦争があったわけですから、かなりの流血をしてるわけです。しかし全体として言うなら、フランス革命、ロシア革命のごとき社会的混乱、流血は伴わなかったわりとスムースな権力移動でしたね。明治の指導者たちは藩をなくしたんですけど、これはすごいことなんです。だって、侍は全部藩に所属していたわけでしょ。要するに主君を廃位した、主君殺しをしたわけです。そして徹底的に刀を取って、洋服を着せちゃったわけでしょう。

あの一種の革命性、というのは、やはり日本は外来文明というのに対して、かつての日本国家の形成、つまり中華文明の仏教伝来や、文字の伝来によって日本国家が奈良朝に成立したのと同じことで、やはり日本というのはユーラシア大陸の吹きだまりなんだということなんですね。近代になったら蒸気船や、帆船も往き来するけれど、少なくとも江戸時代のはじめ頃までは、太平洋横断なんて非常に危険を伴う航海であって、あっちは太平洋だから、もう中国から来ざるを得ないわけだ。もし日本がヨーロッパに近かったらもっとおもしろいことになっていたと思います。あるいはアラブ圏に近かっただけでもおもしろかったかもしれないけれど、中華圏に圧倒的な影響を受けたでしょ。それによって国づくりをした国だけど、でも自分のオリジナリティもなかったわけではないんです。日本人というのはいろんな細かい点では非常にオリジナリティがある。生活文化でも。しかし、大きなシステムをつくるとか、大きな思想をつくるとかいう能力はない。大思想をつくった日本人はおらず、大きなシステムを考えてつくり出した日本人もいません。

そういうものは、かつては中国文明、それからヨーロッパ文明がつくり出した。だから、中国によって日本という文明が成り立ったのと同様に、日本文明が世界に出ていって、今度は近代文明を受け入れるという修正があったんですね。明治一一年にイザベラ・バードが書いているけど、日本人の当時のインテリに会うと、インテリというのは武士出身ですが、昔のことを聞くと、「昔はひどいものでした」と、みんな口をそろえて言ったらしいです。

また一種の日本人の無宗教性。日本は室町時代、戦国時代がいちばん宗教的な時代だったんです。鎌倉新仏教が起こって、その鎌倉新仏教というのが力をつけてきたのは、たとえば浄土真宗の真宗教団にしても力をつけてきたのは室町期でしょう。戦国時代には、例の石山戦争を起こして、信長、秀吉を悩ませたわけでしょ。非常に信仰的な時代、そしてキリスト教も入ってきましたね。

ところが一転して江戸時代になったら、非常に一種の「セキュラリゼーション（secularization）」というもの、「世俗化」と言うんだけど、世俗化が進んだんです。信仰心がほとんど薄れてしまい、ものすごく現実的になりました。だから幕末に来た西洋人は「日本人は無神論者だ」とみんな言いますね。でも、無神論者ではなくて、仏教とかそういう教派的なものは影響力を失っている。だから教団、教派的なものは弱いけど、要はアニミズム的な信仰が強いんです、でもそこは見えないもんだから「無信仰の民だ」ってびっくりしちゃうんですよね。そういうことも日本の近代化と、やはり関係があったのかもしれませんね。そういうつもりでもあの本を書いたんです。

近代化がもたらしたもの

日本の近代化というのは、押し付けられた西洋思想ではないんです。押し付けではなくて受け入れたんです。僕の今度の本のタイトルは『近代の呪い』となっていますが、これはわざと挑発的にそうつけたのであって、読んでいったら、「近代のめぐみ」というのが中身かもしれません（笑）。近代というのは紛れもなく、やはり人類にいろんな恩恵を施したんですから。そういう近代が施した恩恵というものがない時代に再び「帰れ」って言っても帰れはしませんから。

たとえば、昔の日本家屋というのは夏向きにつくられているから冬は大変ですよ。ところが昔の日本人は寒さに強かったんです。火鉢ひとつ、炬燵ひとつでしょ。それで西洋人がびっくりするんだけど、西洋人が遊びに来ると座敷に入れて、武家屋敷は庭がついてるでしょ、庭に雪が積もっている。「雪景色をお見せしましょう」とか言って、パーッと障子開いちゃうわけ。西洋人「寒い〜」って(笑)。でも侍は平気なわけ、寒さに強い。だけど、いまの日本人はもうそんな生活できないでしょう。

衣食住や交通手段のあらゆる面で、現代のような生活の豊かさというのは、そんなものは日本だけじゃなく、世界中にもなかったわけですからね。それまでは定期的に起こってくる飢饉や疫病というもので、人口が増えていくと必ずそれでまた減ってくるという、これの繰り返し。生産高も上がって豊かになると、またそれで人口が増えて、マルサスの罠ですよ。人口が増えて人口が低下するという繰り返しだったのが、それを突破したのが、一九世紀になってからですからね。昔は一部の人間しか豊かな生活ができなかったわけ。ところがいまでは「貧乏だ、苦しい」と言っている人も、昔のレベルで言ったらけっこうな暮らしだということがある。つまり、徹底的な貧乏、本当の貧乏というのはなくなり、すべての人間が、ある程度の生活水準で暮らせるようになった。これはとっても大きい事実で、決してバカにしちゃいけないことです。そしてまた、これを失うこともできない。でもそれをもたらしたのは近代ですから。

しかも、やはり人権というものが確立した、いわば個人というものが認められたのもやっぱり近代です。個人が成立してくるということについては、一つの共同体の損失という代償を伴うわけだけど、だけどやはり人権というものを確保された自由な個人が保障されているというのは、大きいことですよ。そういう個人の尊厳、自由というものを、曲がりなりにでも最低限保障してくれる社会というのは、どんなに貴重なことかということ、これが近代なんです。

また近代になって、学問とか科学によってものすごい展望が開けたわけです。だから、明治の日本人は、仕方なくて西洋の圧迫で国を開いた、しょうがないから近代化したというだけでなく、やっぱり近代のすばらしさに触れたんです。

たとえば「愛」という観念一つをとっても、江戸時代には近代的な意味の愛はなかったわけです。つまり、ヨーロッパの愛というのはキリスト教的な愛だから、これは偽善でもあり欺瞞でもあり、束縛でもある。結婚式のとき「一生愛します。ほかの男（女）を愛しません」

と誓うわけでしょう。嘘ばっかりだけど、そういうふうに誓うわけです。だから、そういうプラトン的というか、あるひとつのこの世に存在しないイデアというものを恋い慕うような、そういうふうな恋愛というのを日本人は知らないと、西洋人は書いています。日本人は好いた、惚れたしか知らない、いわゆる性愛の世界ですね。夫婦間の本当の愛情なんかない、というわけです。

ところが、それを発見したのが文学界の連中です、北村透谷とか島崎藤村とか。ということは、つまり近代に新たな精神的価値を見出したわけでしょう。だから文学だけではありませんけど、思想にしても学問にしても、近代的な思想、文学、学問というもののすばらしさ、魅力というのに、みんな魂を抜かれたんですね。永井荷風なんかは、江戸趣味大好きなんだけど、ではなんで江戸趣味かといえば、彼は反明治国家だから。つまりお役人と官僚と軍隊が嫌いだから。ということで「フランスが大好き」になるわけよ。だから、荷風にとってのお江戸はフランスなんです。

明治の日本人にとってヨーロッパの思想、つまり人間の精神の可能性という面、それに魅惑されたことは、大きなことだと思うんです。たとえば江戸時代にはもちろん独自の文学があり、独自の学問があったけれども、それだけじゃやっぱり貧しい世界ですね。一読書人として考えてみたら、あんな本ばかり読んで一生終われと言われたら、寂しいですよ、それは(笑)。

ですから、やはりヨーロッパ近代は問題がありますけれど、どの国でもやっぱりヨーロッパ型の文明を採用せざるを得ないでしょう。要するに近代化、開放経済というのは、生活形態、経済の形態、着るものからしてもそうだけれど、全部西洋がつくり出したものが全体に普及していったことなんです。もちろんその普及する中で、西洋自体は地位が低下していく。あるいは中国が出てくる、インドが出てくるというのはありますが。

だけど、出てくる中国、インドという文明の正体は、近代文明。近代文明によって力をつけてきている。もちろんそこでは、中国独自のもの、インド独自のもの、あるいは日本独自のものというのがあって、多様な世界をつくっていくんでしょうけれど。でもたとえ、その背景になっている、あるいは根っこになっているものが違うにしても、生活様式というか産業の様式、あるいは国家の様式、国家のつくり方も全部近代国家です。愛国心にしても、軍隊だって、政府のつくり方だってね。全体主義みたいな中国的なああいう共産党も、ヨーロッパ起源、マルクス起源ですから。

だから西洋的な近代というのは、非常に大きかったとやっぱり思うんですね。「ヨーロッパ中心主義反対」というのがずっとありまして、これはもうこの三〇年ぐらいヨーロッパ中心主義反対ですね。「ポストモダン」というのがそうでした。多中心性というか。だけれども、それでもやはりヨーロッパ近代というものが全世界を制覇したその意味は非常に大きく、それによって人間は何を失ってきたのかということが、いま大きく湧き起こってきてる問題であります。これは非常に通俗化していると言ってもいいと思います。この近代文明に対する不満とか批判とかいうかたちはもう一般化していると思うんですけれど、ただ、変なかたちになると、大川周明みたいに、日本の右翼が正しかったみたいなことにもなりかねないです。だから、やはり近代が獲得してきたものの、何が大事なのかということをよく見極め、それを大事にしながら、近代が失ってきた大事なものを蘇らせることができないものかと考えていくしかないんでしょうね。だけど、これは難しいですよ。

社会や国家からの自由

学校を出たら、会社であれなんであれ、どこかに就職しなきゃいけない。これはひとつの社会のシステムですから、そのシステムにはどうしても自分の人生が縛られます。しかし、僕は会社に勤めてお給料をもらったのは、生涯通算して二年ぐらいしかありません。でもそれでなんとか生きてこれるんです。

ですから、何もいい学校をちゃんと出て、そしてちゃんとした就職をしないと悲惨なことになるということは決してないわけです。社会がどうあろうが、国家がどうあろうが、自分の人生って、実はあまりそんなことに関係してないんじゃないかと思うんです。いい学校へ行っていい企業に入らないとどうもならないと考えたならば、社会や国家に縛られてしまいますね。僕の人生を考えてみると、僕は戦争が終わったときは中学三年ですから工場動員にも行きましたし、小学校のときから勤労奉仕には出されてるし、そして学校じゃ殴られどおしだし、そういう経験があって、そして、大連から無一物で引き揚げで帰国したわけです。全財産を何もかも失って、もちろん補償なんか一文もないなかで。

だから、そういった国家というものがもたらす運命ということは、自分自身で感じているんだけれど、だけど考えてみると僕は平気であって、かえって良かったんじゃないかと思います。もともと流浪の民、俺はジプシーなんだと。流浪の民なんだって思えれば、国家になんて縛られなくたっていいし。

自分の人生を考えてみると、何がいちばん大事だったかというと、社会を良くするとか、国家をどうこうということではなかったと思ってます。どういう人間と付き合ってきたか、とくにどういう女と付き合ってきたのか、それによって自分が不幸であったか、あるいは自分が少しでも幸せであったかが決まってきたので。あるいは、自分が毎日何に喜びを感じて、どういう仕事をしようと思ってきたか、ということで決まるわけなんですよね。

たとえば自分の職業が、何かの職人だとするならば、自分のつくっているものが非常に好きで、いいものをつくることに喜びを感じるということは、社会や国家に関係がないことだから。そしてどんな女と出会って、どういう家庭を築くかということも、関係のないことだからね。つまり国家や社会に支配されない、自分で自分が納得できる人生というのは、つくっていけるものだから、そっちのほうが大事なんじゃないかなと僕は思うわけです。国家とか社会という大きなテーマは、それはみんなで考えていかないといけないけれど、ただし、これには性急な答えは求められない。性急な答えを求めたらソ連みたいになっちゃうわけだから。

じっくりみんなで考えていって、部分的にでもいいほうへいいほうへ少しずつ直していくといい。だけれども、それとは別に、国家とか社会とか、そんなことからまったく自由な自分の一個の生、生きるということは自分でどうにでもなる。自分を不幸にするか、あるいは自分の一生を少しでも満足なものにするかは、自分で左右できる。ただし、それは貧乏を覚悟するってことで（笑）。でも貧乏を覚悟したって、世の中は捨てる神あれば拾う神ありだから、なんとかなっていくんですよね。

社会的成功を目指すということ

それと、最近よく言われる、有名にならなくちゃいけないといった考え、ヨーロッパ型個人主義と言われていますけれど、ヨーロッパだってキリスト教ですから無名の慎ましい生き方というのはあるんです。有名にならなくちゃいけない、というのはアメリカから始まったんです。日本でやはりこの二〇年ぐらい言われているのは、自己実現。自分を実現するというのは自分らしい自分として生きるということですね。それもけっこうなことでそれがいちばんいいんですよ、自分らしく。だけど、いま言ってる自己実現というのは「社会的成功」ということなんですよ。バカみたいでしょ、社会的成功なんて。なんでそんなことを望むのか。「セレブ、セレブ」なんて言ったりして、虚飾の世界です。そういうのもアメリカから入ってきました。

もちろんヨーロッパにもそういう虚飾の世界はあるんです。でもあったとしても、そういうのはスノッブの世界なんです。イギリスとかフランスでは一部の上のほうの。下には堅実な生活があるんですよ。大多数は堅実な生活をしているわけです、イギリスもフランスも。いまは知りませんけど、かつてまではそうでした。いまや全世界的に「成功しないと損だ」みたいな考えが広まっていますが、たとえば成功ということを考えてごらんなさい、一〇〇人が一〇〇人成功したら成功じゃない。一〇〇人のうち一人成功するからこそ、成功なんです。だから成功ということは宝くじに当たるみたいなもので、そんなことはあり得ないんです。つまりある種の才能がないと。才能なんてこれはもう本当に宝くじで、その才能だって、お金になる才能と、お金にならない才能がありますから。みんな才能はあるんですよ。ただ、自分が持っている才能が、たまたまいまの社会ではお金にならないだけのことなんですよ。

不思議なもので僕なんかもそうです。何して飯食っていくか、二十代はとても困っていました。僕は若い頃共産党員だったんです、当時は流行っていましたから。そしておまけに結核。肺病で共産党だからどこも雇ってくれるとこなんてないなあ……と僕は思ったわけです。どうやって飯食おうか、女房に寄生するんです(笑)。結局編集者みたいなことをやって。あとでは物書きになったんだけど、文章だって才能がない。才能がある人は二十代から売り出すけど、才能がないからお金になるのはやっと三十代の終わりぐらいにしか、原稿料をもらって書くようにはなれなかったですね。それでも僕はいいと思ってた。女房が一三年前に死んだんですけど、女房がまだ生きてる頃、長女が「お父さん元気、年のわりには元気ね」と言ったら、女房は「元気なはずよ、自分の好きなことだけやってきたんだもん」って、言っていたらしいです(笑)。

だから家族には迷惑かけました、とくに女房には苦労をかけましたけど、自分の好きなことだけやってなんとか食いっぱぐれもせずに、まあ、食いっぱぐれすれすれでしたけど、やってきました。だから、覚悟がありゃいいんです。覚悟さえあれば。生きる道は何かしらあります。若い人には、有名にならなくてもいいし、成功しなくてもいいし、ただ自分の好きなことをやんなさいって。なんとか自分の好きなことから離れないようにして仕事をするか、あるいは自分が好きなことを先でやるために、しばらく嫌な仕事でも我慢して、そして好きなほうをやれるようにしなさい、と言いたいですね。

でも我慢も足りない。僕だって「好きなことばっかり」ってうちの女房は言うけど、たとえば河合塾に二五年間行きました、それも五十過ぎてからですよ。よく河合塾は二五年間も働かせてくれたと思いますけど。僕は教えるのが嫌なんです、面倒くさいんです。教師に向かないのに、それを二五年やってきて、本当にしんどかったです。予備校というのは人気商売なんです。だって、強制出席が課されているんじゃないんだから、この授業がおもしろいと言ったらわっと集まるんです。そしてこの先生はおもしろくないと言ったら、悲惨なことで、最初一〇〇人ぐらいいたのがすぐに二、三人になっちゃうんですね。だからそういうとこで勝負しなきゃいけなくて、僕はわりと気が小さいほうなもので、ちょっときつかったです。

だからきつい、若い人は嫌だなと思うことがあってもすぐは辞めちゃわないで、根性を持たないといけない、しばらくは我慢しなきゃ。江戸時代の丁稚なんかもっとひどかった、でも我慢したんだから。十四歳ぐらいで丁稚に行ったわけだけど、それでもみんな一人前の職人になって、あとは怖いものなしです。

脱出は自由、恐れるな

経済成長しないといけない、というのも変な概念です。要するに、無駄遣いしただけ、GNPが上がって成長が変わるわけですから。僕は、政治ではなく、民間からリーダーが出てこないといけないと思うんです。政治というのは妥協です。政治は妥協だからほどほどに、あまり変なことをやらなければいい。それで政府にあまり頼らない、民間での創意工夫というものを、自分、あるいは仲間、そういうもので生活空間をつくっていくという、それがずっと広がっていくといいと思うんですね。

僕の知っている範囲でも、そういう人がいるんです。たとえば女性一人で大変だけれど、最初喫茶店を開いて、その喫茶店ではいろんな催し物もやるし、多様な小間物も置いている。本が好きなものだから隣の店を買い取って小さい本屋も開いた。その本屋は取次を通していないから、全部買い取りになるんですけど、でも小さい本屋で自分の好きな本だけを置いている。でも、なんとか成り立っているんですね。そうすると、そこにいろんなグループの人たちが出入りするようになるんです。そういうのはほんの、大きな社会の中から見たらごく一部分なんですが、そういうのをみんなやっていくといいと思うんですね。もちろんそれだけでは大きな経済は回らないわけだから、大工場も必要だけれど、そういう民間の中からいろんな工夫をすることが大事なんです。

一つの企業を興すにしても、起業するにしても、やはり企業家の精神というのは、自分がつくっているものを通して社会に貢献することですよ。どんなに売れたとしても、社会を悪くするようなものだってあるわけだからね。ジブリはいいですね、ああいういいアニメーションをつくっているから。だけどジブリだって最初は小さいプロダクションから始まったんでしょうから。ですから、そういうのがたくさん出てきて、起業するにしても、だんだんと大きくなるにしても、やはり企業が理念を持つことだと思うんです。社会的な理念を。日本には株式民主主義はあまりないですね。「株主還元、株主還元」と最近は言われているけれど。そんなのではなく、会社って社員のためにあるんです、それが正しい。株主資本主義なんて、アメリカから来た概念でもうダメですよ。でもヨーロッパはそうでもない。企業が理念を持つと、それだけでもだいぶ良くなると思いますね。

社員だって、勝手にストライキばかりやって、賃金ばっかり「上げてくれ、上げてくれ」とやってるだけじゃ、会社が成り立ちません。会社というのは一つの規律であり、経営団体だから、そこではどうしてもある種の自己疎外は起こる。それは規律はあるし、嫌と思ったって、「今夜残業してくれ」と言われたら「デイトがありますから」って断るわけには……、いまは断る人も多いらしいけど（笑）。

だからある種の自由の束縛はどうしてもある。上司関係もあるし、命令系統もあるし。だけど、そういう中でなるべくやはり民主的な雰囲気というか。勤めというのは飯食うだけのことで、なにも命がかかってるわけじゃない。だけど、やはりそこで働いてることに生きがいを感じられるような、そういうふうになっていくといいと思います。企業の体質自体がやはり変わっていくということが大事なんじゃないでしょうか。そういう体質は、小さい企業にあると思うんです。僕は実際にあまり経験していないから、聞いた話だけれど、いまの企業の雰囲気というのは耐え難い面もあるらしいですね。というのは、人間が自然にこうありたい、こうあればいいなあという、そういうものに非常に敵対するようなものになっていってますね。だから自分の何かを押し殺さないとまともな生活ができない、あるいは成功できないというふうになっているというのが、呪いと言えば呪いなのではないでしょうか。でも、そこから脱出することは、自由なんです。恐れなければいいんですから。

人工化していく世界、その果ては

熊本に坂口恭平という、建築を建てない建築家がいるのだけれど、彼が『独立国家のつくりかた』というのを講談社現代新書で出しています。なかなかおもしろい男ですが、彼は要するに現代社会にはさっき言った「ニッチ」というのか、自分がなんとか上手く生きていける場所を見つけることができたならやっていける。ということで、一種のゲリラをやろうとしているんです。彼なんかを見ていると、自分のわがままというものを——わがままと言ったら変ですが、自分はこういう人間に生まれてしまったので、こういう世界がないと生きられないというスタイル、それを頑固に守っていますね。彼の場合は才能があるからそれで食っていける、ところが金にするような才能がなければ、飢え死にするしかないわけだから大変です。でも世の中は、なんというか非常にリジッドで、厳密に構成されてるようで案外抜け穴もいっぱいあるわけです。僕は宮崎駿さんという人も、あの人がつくってきたアニメーションを見ると、その抜け穴のひとつをやっているんだと思うんですが。

でも近代という言い方もおかしいですね。要するにいままでの歴史で言えば、古代、中世、近代。日本で言えば、古代、中世、近世、近代と分けられるでしょう。でもあと一〇〇〇年してごらん、どうなる？　いまの近代は古代、あるいは中世になってしまいます。だから、結局近代と言ったって、その近代はもうすぐ近代でなくなるんです。ただその先に、全部人工化されてしまうようなSFのような世界がやってくることがいちばん恐ろしいですね。すでにもうなりつつありますが。僕たちの暮らしている生活空間が、いかに人工化されているか。たとえば、商店街のアーケードは、雨降りのときには大変に便利なものですが、でもそれによって、街から空と風を奪ってしまいました。僕たちは、街角で雲を見て、夕焼けも見て、吹いてくる風に情感を感じるものです。そもそも商店街自体がチェーン店化され、なんだかピカピカの宇宙船の中のように秩序化されてしまって、生活の匂いがしなくなってしまいました。商店街だけでなく、都市全体があまりにも画然と整理され過ぎています。親近感はなく、整然としている分、排除されている感じがします。つまり、人間にとっての、利便性とか安全とか清潔などが極度に追求されると、都市空間は人工的な機械のようになってしまうのです。ゆがみとか雑多とか汚れが排除されたSF映画に出てくるような未来都市に近づいていくのです。

世界の人工化というのは、つまりは、この実在する地球を人間の便益のために存在させる、つまり、自然は人間の資源、人間に所属する財産であるという感覚から来ています。そして、そういう感覚を普遍化させてしまったのが、人間だけを特別視して、快適さのみを至上目的とし追求し続けてきた近代だと思います。僕は、近代のもたらした、便利で安全な生活や個人の人権などをめぐみとして評価しましたが、結果としてその実現が自然と人間との関わりを断ち切ってしまい、結局は死すべき運命のはかない人間という存在を、自然の中に謙虚に位置づける感覚を失わせてしまった、という、自分の中に近代へのアンビバレントな思いも持っています。

これからの僕たちの課題、それは生活のゆたかさの意味を捉え直し、経済成長最優先といった考え方から自由になる道を模索していくことでしょう。ひとりの人間って、とても大事なものだけれども、人間という生物自体はそこまで偉いものではないことを知ることも大事なのではないでしょうか。もし世界の人工化があまりに進んでしまったら、そうなったら、人間はそうなるまで生きなくていい。もう絶滅したらいいんじゃないでしょうか（笑）。だって何億年かかるか知らないけど、人類はいつかは絶滅するでしょう。僕の結論としては、近代を生き通す中で、近代の先に来る時代、それが人工的な空間の世界になってしまわないように、ということだけ。僕が言いたいことはそれしかありません。

（談／聞き手・構成　額田久徳［「熱風」編集長］）

初出一覧

第一話　原題『近代について』二〇一〇年七月三日　熊本大学にて　『知の技法の伝承シリーズ3』（熊本大学大学院社会文化科学研究科・二〇一〇年一〇月一〇日刊）

第二話　原題『西洋化としての近代』二〇一〇年一二月一八日　熊本大学にて　『知の技法の伝承シリーズ　4』（二〇一一年三月三一日刊）

第三話　原題『フランス革命再考』二〇一一年五月二八日　熊本大学にて　『知の技法の伝承シリーズ　6』（二〇一一年八月一九日刊）

第四話　原題『近代とは何だったのか』二〇一一年一〇月二二日　熊本県立美術館にて（熊本県美術家連盟主催講演会）

つけたり　原題『私の大佛次郎』二〇一一年三月一三日　横浜市開港記念会館にて　『おさらぎ選書　19』（大佛次郎記念館・二〇一一年七月一五日刊）

近代のめぐみ　「熱風」二〇一四年一月号／スタジオジブリ
平凡社新書『近代の呪い』刊行時のインタビュー

[著者]
渡辺京二（わたなべ・きょうじ）
1930年京都市生まれ。大連一中、旧制第五高等学校文科を経て、法政大学社会学部卒業。熊本を拠点に、評論家、日本近代史家、思想史家として活躍する。著書に『渡辺京二評論集成』全4巻（葦書房）、『北一輝』（毎日出版文化賞受賞、ちくま学芸文庫）、『評伝 宮崎滔天』（書肆心水）、『逝きし世の面影』（和辻哲郎文化賞受賞、平凡社ライブラリー）、『黒船前夜――ロシア・アイヌ・日本の三国志』（大佛次郎賞受賞、弦書房）、『バテレンの世紀』（読売文学賞受賞、新潮社）、『夢ひらく彼方へ――ファンタジーの周辺』（亜紀書房）、『もうひとつのこの世――石牟礼道子の宇宙』『幻のえにし――渡辺京二発言集』『肩書のない人生――渡辺京二発言集２』『小さきものの近代１』（以上、弦書房）など。2022年12月没。

平凡社ライブラリー 958
増補 近代の呪い（ぞうほ きんだい のろい）

発行日…………2023年12月5日　初版第1刷
2024年7月29日　初版第2刷
著者……………渡辺京二
発行者…………下中順平
発行所…………株式会社平凡社
〒101-0051　東京都千代田区神田神保町3-29
電話　(03)3230-6573[営業]
ホームページ　https://www.heibonsha.co.jp/
印刷・製本……中央精版印刷株式会社
ＤＴＰ…………平凡社制作
装幀……………中垣信夫

ISBN978-4-582-76958-6

【お問い合わせ】
本書の内容に関するお問い合わせは
弊社お問い合わせフォームをご利用ください。
https://www.heibonsha.co.jp/contact/

平凡社ライブラリー　既刊より

渡辺京二著
逝き世の面影

近代化の代償としてことごとく失われた日本人の美点を刻明に検証。幕末から明治に日本を訪れた、異邦人による訪日記を渉猟。日本近代が失ったものの意味を根本から問い直した超大作。

解説＝平川祐弘

渡辺京二著
幻影の明治
名もなき人びとの肖像

時代の底辺で変革期を生き抜いた人びとの挫折と夢の物語から、現代を逆照射する日本の転換点を描き出す。『逝きし世の面影』の著者による、明治150年のいま必読の評論集。

解説＝井波律子

安丸良夫著
日本の近代化と民衆思想

幕末から明治期の新興宗教や百姓一揆の史料をさぐることにより、民衆の生き方と意識の在り方を歴史的にとらえ直す。著者一流の歴史探究から日本の近代化を追究した名著。

解説＝タカシ・フジタニ

E・W・サイード著／板垣雄三・杉田英明監修／今沢紀子訳
オリエンタリズム　上・下

ヨーロッパのオリエントに対するものの見方・考え方に連綿と受け継がれてきた思考様式――その構造と機能を分析するとともに、厳しく批判した問題提起の書。

解説＝杉田英明

E・W・サイード著／大橋洋一訳
知識人とは何か

〈知識人とは亡命者にして周辺的存在であり、またアマチュアであり、さらには権力に対して真実を語ろうとする言葉の使い手である。〉著者独自の知識人論を縦横に語った講演。

解説＝姜尚中

ロッキー山脈踏破行

イザベラ・バード著／小野崎晶裕訳

時は一八七三年、アメリカはロッキー山脈を歩いたイギリス女性が妹に書き送った一大旅行記。古きよき時代のアメリカの雄大な自然と開拓者たちの魂を活写。全女性必読の名著。

日本奥地紀行

イザベラ・バード著／高梨健吉訳

日本の真の姿を求めて奥地を旅した英国女性の克明な記録。明治初期の日本を紹介した旅行記の名作。

イザベラ・バードの『日本奥地紀行』を読む

宮本常一著

洋の東西を代表する二人の大旅行家が指し示す現代日本を見る視座は今日ますます得難く貴い。講演をまとめた本書は宮本民俗学の格好の入門書でもある。

解説＝佐野眞一

中国奥地紀行 1・2

イザベラ・バード著／金坂清則訳

19世紀末、小柄な老女が揚子江を遡り、陸路、漢族の世界さえ超えた地域を踏破、「蛮子」の素晴らしい世界を描き出す。当時最高の旅行作家の最後の旅行記を、バード研究第一人者の翻訳で。（全2巻）

イザベラ・バードのハワイ紀行

イザベラ・バード著／近藤純夫訳

『日本奥地紀行』で知られるバードの出世作。鬱蒼とした密林を進んで火山や渓谷を探検したり、人との出会いに心を和ませたり——150年前のハワイを生き生きと描く。

半藤一利著
昭和史 1926-1945

授業形式の語り下ろしで「わかりやすい通史」として絶賛を博し、毎日出版文化賞特別賞を受賞したシリーズ、待望のライブラリー版。過ちを繰り返さない日本へ、今こそ読み直すべき一冊。

半藤一利著
昭和史 戦後篇 1945-1989

焼跡からの復興、講和条約、高度経済成長、そしてバブル崩壊の予兆を詳細に辿る、「昭和史」シリーズ第2弾。現代日本のルーツを知り、世界の中の日本の未来を考えるために必読の一冊。

半藤一利著
日露戦争史 1・2・3

あの時なぜ大国ロシアと戦ったのか？ ベストセラー『昭和史』の筆者が近代日本に決定的な転機をもたらした日露戦争を描く大作ノンフィクション。全3巻。

半藤一利著
B面昭和史 1926-1945

国民からの視点で「あの時代とは何だったのか」、自身の体験も盛り込んで昭和戦前史を詳細に綴った大作、待望のライブラリー化。巻末に澤地久枝氏との対談「〝B面〟で語る昭和史」を付す。

半藤一利著
世界史のなかの昭和史

昭和史を世界視点で見ると何がわかるのか？ ヒトラーやスターリンらがかき回した世界史における戦前日本の盲点が浮き彫りに。日本人必読の半藤〈昭和史〉シリーズ完結編、待望の文庫化！